JN157147

# 日本で1日に起きていることを調べてみた

## 数字が明かす現代日本

宇田川勝司

# はじめに

「九州北部で1時間に129.5mmと観測史上最大の雨を記録」
「有効求人倍率1.52倍に改善　厚労省が発表」
「毎月5・15・25日はお客様感謝デー　全品10%引き」
「1食分(50g)あたり220kcal 食塩0.5g　糖質31.6g」
「血圧135－85mmHg 中性脂肪160mg/dl 血糖値165mg/dl」
「5教科合計316点，学年順位53位/125人」

テレビや新聞で報道されるニュース，街中で目にする看板，コンビニで購入する商品，さらに病院の検査結果から子どもの成績表にいたるまで，毎日の暮らしの中で我々は様々な数字に接している。数字は，それ自体は何ら意味を有しない文字にすぎないが，様々な事象は数字で示されることによって，言葉よりも心に強く印象づけられる場合がある。医者から「かなり血糖値が高いですよ」と言葉だけで告げられるよりも，「空腹時の血糖値が126mg/dl以上になると糖尿病の疑いが濃厚になり，糖尿病患者は心筋梗塞や狭心症の発症リスクが血糖値が正常な人の18倍になる」と数値で示されると一気に深刻になってしまう。

しかし，情報としての数字の種類や量はあまりにも多く，ただ，それらを示されても，その数字がいったい何を意味するのか，理解や判断をしかねる場合が多いのも現実である。「1時間に129.5mmの雨」と聞いて，いったい何人の人がその状況を正しくイメージできるだろうか。この雨量は，2017年7月，福岡県朝倉市で記録されたもので，24時間に降った雨は1,000mmに達し，観測史上，国内では例を見ない豪雨となった。日本の平均年間降水量は約1,700mmなので，通常の7ヵ月分の雨がたった1日で降ったわけだ。違う見方をしてみよう。例えばあなたの自宅の敷地が300$m^2$と仮定した場合，1日に1,000mmという降水量は,自宅に24時間で小学校のプール1杯分（約300t）の雨が降り，他から水が流れ込んでこなくても，自宅が1,000mmつまり深さ1mの水に浸ってしまう量なのだ。朝倉市にとてつもない雨が降ったことがご理解いただけたかと思う。

情報としての数値は，客観的にそれがいくら正しくてもそのままではその数値が持つ実態を捉えにくい場合が多い。しかし，他の数値と比較したり，ちょっと視点を変えたりすると，それまで判然としなかったものが，鮮明に見えてくる。本書では，今，国内で何が起こり，日本がどのように変わりつつあるのか，多くの方に関心を持っていただけるような数値情報を集め，日本では1日に何が起こっているのかという視点でそれらを一考してみた。気象など自然現象から日常の暮らしの中の出来事まで，1日という時間を尺度にした数値に注視すると，現代日本の意外な側面，驚きの事実が鮮烈に浮かび上がってくる。

この本を一助として，今までは見過ごされていたり，あまり知られずにいた日本の様々な姿に，多くの方々が興味関心を向けていただければ幸いである。

2018年1月　　宇田川勝司

● 目次

## 1章 日本列島の1日



## 2章 日本社会の1日

## 3章 日本人の1日

# 4章 日本各地の1日

# 1章

# 日本列島の1日

# 1日に，日本とその周辺で発生する地震

- 日本はなぜ地震が多く発生するのだろうか？
- 日本国内で地震がほとんどない場所ってあるのだろうか？

## ▶12.2回 気象庁統計

UNDP（国連開発計画）の報告によれば，1980～2000年とデータは少し古いのだが，世界でもっとも地震が多い国は中国で，世界で発生した直下型地震のおよそ3分1を占めている。面積あたりではコスタリカ，地震による被災死者数ではイランが世界一となっている。当然，日本の順位が気になるが，**発生数では世界第4位，面積あたりでは第6位，被災死者数では第7位**である。

ただ，日本は2000年代に入って地震の発生数が増加しており，2003～13年に世界で発生したマグニチュード6以上の地震1,758回のうち約2割にあたる326回が，面積では世界のわずか0.25%にすぎない日本とその周辺海域で発生している。また，2011年の東日本大震災の経済的損失は16.9兆円にのぼり，この半世紀で世界でもっとも損失額の大きな自然災害となった。震災以降の6年間で，震度1以上の地震が国内で観測されなかったのはわずか13日しかない。地震は1日あたり12.2回，日本のどこかでほぼ毎日，発生している。

地震の発生原因は地球表面を覆っているプレートの移動が関連していることは知られている。日本で地震が多く起こるのは，日本列島が，4つのプレートが衝突する変動帯にあり，各地に活火山が分布し，多くの活断層が走っているからである。

プレート境界部では数十～数百年周期で繰り返し地震が起きて

## ●日本で発生した震度１以上の地震数の推移 〈資料：気象庁〉

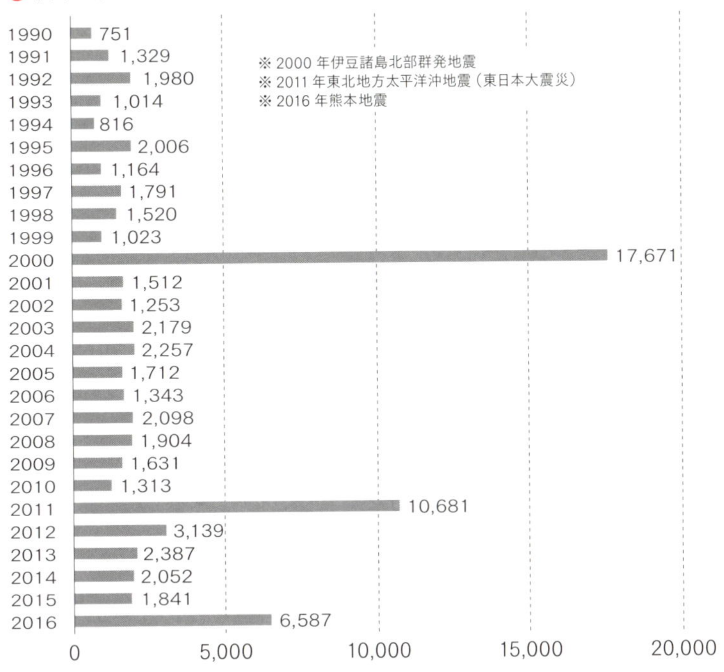


## ●2010～16年に発生した地震の震度別件数 〈資料：気象庁〉

| | 2010年 | 2011年 | 2012年 | 2013年 | 2014年 | 2015年 | 2016年 |
|---|---|---|---|---|---|---|---|
| 総数 | 1,313 | 10,681 | 3,139 | 2,387 | 2,052 | 1,841 | 6,587 |
| 震度7 | | 1 | | | | | 2 |
| 震度6 | | 8 | | 1 | 1 | 10 | 8 |
| 震度5 | 5 | 62 | 16 | 11 | 8 | 34 | 23 |
| 震度4 | 32 | 253 | 65 | 52 | 46 | 149 | 159 |
| 震度3 | 99 | 976 | 232 | 187 | 134 | 474 | 601 |
| 震度2 | 294 | 2,863 | 816 | 613 | 535 | 1,174 | 1,778 |
| 震度1 | 883 | 6,518 | 2,010 | 1,523 | 1,328 | 1,841 | 4,016 |
| 非観測日 | 16 | 4 | 0 | 2 | 3 | 5 | 2 |

※非観測日は国内で地震が観測されなかった日数

おり，比較的規模が大きく，津波を伴う場合もあり，ここを震源とする地震はプレート境界型（海溝型）地震と呼ばれている。東日本大震災（2011年）や近い将来発生すると考えられている南海トラフ地震がこれにあたる。

断層のずれ込みにより発生する地震を直下型（内陸地殻内）地震という。活断層は国内に2,000ヵ所以上が確認されているが，まだ全貌は解明されておらず，また，活断層による大地震の発生間隔は1,000年から数万年と非常に長いため，地震発生の予測が困難だ。阪神淡路大震災（1995年）や熊本地震（2016年）がこれにあたる。

火山活動やマグマの動きによっても地震は起こり，火山性地震と呼ばれる。国内の年間地震発生数を見ると2000年が突出して多いが，これは三宅島の噴火活動に伴う伊豆諸島北部群発地震（発生総数約1万4200回）があったからである。

日本で地震の少ない場所はあるのだろうか。同じ日本でも県ごとの地震発生数にはかなり違いがあるが，気象庁に残る過去約90年間の統計では，富山県がもっとも少なく，震度4が12回，震度5以上をまだ一度も観測していない。なお，佐賀県は2015年までは震度4以上の観測数はわずか7回で日本一地震が少ない県と呼ばれていたが，熊本地震では震度4以上を6回観測し，首位の座を富山県に譲り渡した。市町村別では北海道西部の神恵内村は，観測史上全国で唯一有感地震を観測していない。

もっとも，阪神大震災までは兵庫県も，地震のリスクの少ない県の一つであった。日本は，いつどこで地震が起きてもおかしくはない世界有数の地震大国であることを忘れてはいけない。

## 年度別に見た都道府県別地震発生数（震度１以上） 〈資料：気象庁〉

| 府県名 | 1990年 | 2011年 | 2016年 | 府県名 | 1990年 | 2011年 | 2016年 |
|---|---|---|---|---|---|---|---|
| 北海道 | 73 | 407 | 224 | 三重 | 25 | 40 | 18 |
| 青森 | 43 | 840 | 148 | 奈良 | 10 | 46 | 24 |
| 秋田 | 3 | 658 | 74 | 和歌山 | 48 | 99 | 64 |
| 岩手 | 82 | 2,323 | 245 | 京都 | 19 | 44 | 21 |
| 山形 | 9 | 878 | 92 | 大阪 | 6 | 46 | 21 |
| 宮城 | 13 | 2,825 | 317 | 兵庫 | 10 | 53 | 39 |
| 福島 | 42 | 4,230 | 438 | 岡山 | 8 | 32 | 168 |
| 栃木 | 63 | 1,555 | 182 | 鳥取 | 12 | 21 | 477 |
| 茨城 | 93 | 3,407 | 364 | 島根 | 10 | 37 | 58 |
| 群馬 | 13 | 940 | 100 | 広島 | 10 | 55 | 66 |
| 埼玉 | 32 | 952 | 113 | 山口 | 2 | 21 | 90 |
| 東京 | 139 | 711 | 132 | 徳島 | 6 | 32 | 30 |
| 千葉 | 59 | 1,505 | 190 | 愛媛 | 9 | 32 | 64 |
| 神奈川 | 33 | 428 | 97 | 香川 | 4 | 25 | 38 |
| 新潟 | 14 | 826 | 68 | 高知 | 7 | 35 | 65 |
| 長野 | 31 | 876 | 95 | 福岡 | 2 | 30 | 399 |
| 山梨 | 30 | 252 | 49 | 大分 | 5 | 42 | 859 |
| 静岡 | 33 | 375 | 89 | 佐賀 | 0 | 12 | 185 |
| 愛知 | 8 | 82 | 25 | 長崎 | 88 | 24 | 364 |
| 岐阜 | 16 | 252 | 44 | 熊本 | 22 | 83 | 3,812 |
| 富山 | 6 | 81 | 11 | 宮崎 | 6 | 53 | 426 |
| 石川 | 3 | 91 | 18 | 鹿児島 | 48 | 151 | 459 |
| 福井 | 4 | 55 | 10 | 沖縄 | 48 | 63 | 98 |
| 滋賀 | 6 | 60 | 13 | （全国） | 751 | 10,681 | 6,587 |

※ 1990 年は過去 30 年間でもっとも地震の発生が少なかった。
※ 2011 年は東日本大震災，2016 年は熊本地震が発生した年である。

# 1日に，太平洋の海底が日本に向かって動く距離

● 海底はなぜ動くのか，その原因として，近年，明らかになってきた“スラブ引っ張り力”とは何だろうか？

## ▶0.1～0.3mm／日

東京大学
大気海洋研究所調査

地球はよく卵に例えられる。黄身が核，白身がマントル，殻（から）に相当するのが地殻である。地球の内部構造のイメージとしてはそれで正しいが，ただ，地球の地殻は卵の殻ほどの厚み（0.3mm）はない。卵に例えるならば，殻と白身の間のあの薄皮程度の厚さ（0.07mm）で，直径約1.3万kmの地球の地殻の厚さは，海洋部分で5～10km，大陸部分でも平均30～100kmにすぎない。

100年ほど前に，この地殻，つまり地表は動いているのではと気づいた人がいる。ドイツの地球物理学者ウェゲナーである。彼は大西洋の両岸にあるアフリカ大陸と南アメリカ大陸の海岸線が酷似していることに注目し，両大陸の地質や化石を調査して，1912年に「大陸移動説」を発表した。ただ，彼の説は当時としては突飛過ぎたようで，すぐには受容されなかった。大陸はどのような力で動くのか？　どれくらいのスピードで動いているか？　それを測定することはできるのか？　それらが解明できなかったのだ。

しかし，1960年代以降，研究が進むとウェゲナーの説はプレートテクトニクス理論に発展していく。プレートとは地殻とマントル上層部の硬い部分で構成された板状の岩盤で，地球の表面は十数枚のプレートで覆われている。そのうち，大陸プレートはほとんど動かないが，海洋プレートは緩やかに移動し，プレートどう

## 日本周辺のプレート構造

日本列島は，北アメリカとユーラシアの 2 つの大陸プレート上にあるが，その下に太平洋プレートが東から，フィリピン海プレートが南から緩やかに潜り込んでいる。そのとき，沈下する海洋プレートは接触している陸側のプレートを引きずり込もうとし，境界部では歪みが蓄積し，これが日本列島に複雑な地震活動を生じさせる構造となっている。

しが接する境界部で地学的変動が起きるという考え方だ。

日本列島付近では4つのプレートがせめぎ合い，複雑な動きをしているが，東京大学大気海洋研究所の研究調査によると，太平洋プレートは1年で西へ約11cm，フィリピン海プレートは北へ約5cm動いている。太平洋プレートの場合，1日に換算すると約0.3mm，これは髪の毛が伸びるスピードとほぼ同じで微々たるものだが，100年で約11m，1万年では約1kmになり，この動きがプレート境界部に歪みをもたらし，しばしば日本を襲う巨大地震の原因となっている。

海洋プレートはなぜ動くのだろうか。かつては地球の自転に伴う遠心力が原因であると唱えた学者もいたが，プレートテクトニクス理論が確立するとマントル対流説が主流となる。地球内部のマントルが対流するのは，やかんの中の沸騰したお湯が対流するのと同じ原理と思えば理解しやすいが，そのマントルに載っかったプレートが，ベルトコンベアのように地表を移動するという説で，今でもこのように説明した書籍が見られる。しかし，近年は“スラブ引っ張り力”を主因とする考え方が支持を得ている。

海洋プレートは上昇してきたマントルによって中央海嶺付近で生成され，隆起した海嶺の圧力によって，海洋底を移動するが，海嶺から遠ざかるにつれ，プレートは冷え固まって厚くなる。海嶺部分では7kmほどの厚さだったプレートは，大陸プレートとぶつかるあたりでは，その厚さは30～80kmにもなる。厚くなったプレート先端部は，その重みのために地球内部へずり落ちていくが，沈み込んだ部分がスラブであり，このスラブの沈降がプレート全体を引っ張り，地表のプレート移動が起こるわけである。

● プレートが動くしくみ

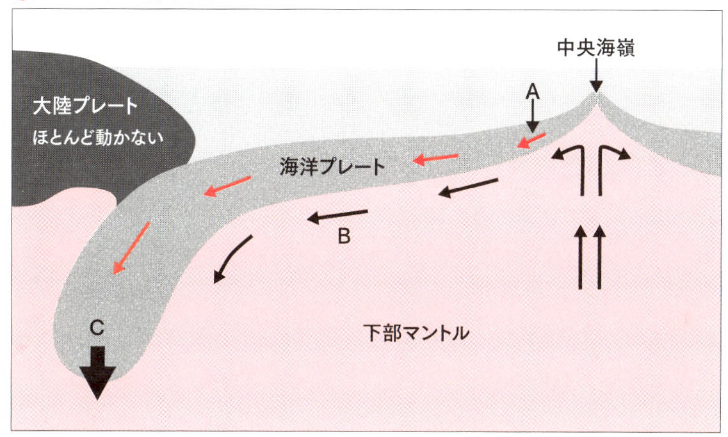


A　**海嶺の押し力**…海嶺に上昇するマントルが新生のプレートを押し出す。
B　**マントル曳力**…対流するマントルがプレートを引きずる。
C　**スラブ引っ張り力**…沈み込むスラブの重量がプレート全体を引っ張る。

海洋プレートが動くのは，海嶺の押し力，マントル曳力，スラブ引っ張りなどの複合的な作用によるが，割合でいうと，そのうちの95%はスラブ引っ張り力が占めると考えられている。

● プレートの構造

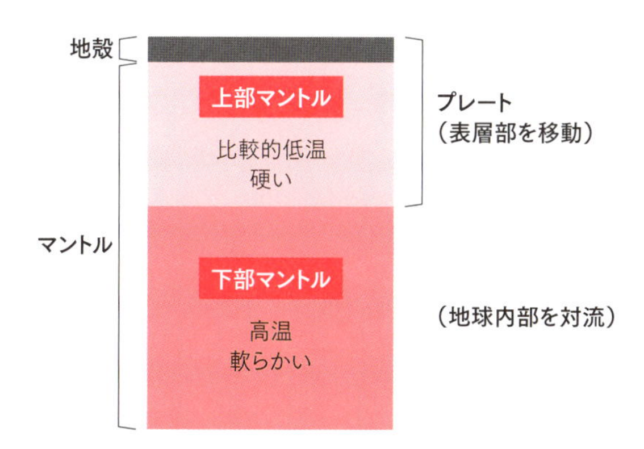

3

# 1日に，日本に降る雨（雪）の総量

- 世界的な多雨地帯日本が，1人あたり降水量はなぜ世界の3分の1？
- 日本が，年間640億㎥もの水を輸入しているってホント？

## ▶17.5億$m^3$（浜名湖約4杯分）

国土交通省水資源部統計

アジア大陸の東に位置し，季節風と海流の影響を強く受ける日本は，世界でも有数の多雨地帯となっている。全国約1,300地点の1980～2010年の統計をもとに国土交通省水資源部が算出した年平均降水量は1,690mmで，世界の年平均降水量813mmの2倍以上，日本は熱帯圏以外ではもっとも雨がよく降る国である。1年365日，日本列島に雨の降らない日は1日もなく，毎日，日本のどこかで必ず雨（雪・霰（あられ）・雹（ひょう）を含む）が降っている。その総量は1日あたり17.5億$m^3$あり，これは東京ドーム約1,400杯分に相当し，1年間では6400億$m^3$，これは琵琶湖の水量の実に23倍である。

これだけ聞くと，日本は「水の豊かな国」というイメージが浮かび上がる。しかし，国民1人あたりの平均降水量に換算すると年間4,964$m^3$で世界平均の3分の1以下になり，国土の大半が砂漠に覆われているサウジアラビアとほぼ同じ，モンゴルの半分にも及ばない。日本は，確かに雨はよく降るのだが，国土が狭く，人口が多いため，1人あたりでは降水量が少なくなってしまう。

ただ，本当に重要なのは降水量そのものではなく，生活や農業・工業に利用が可能な水がどれくらいあるかということである。これは“水資源賦存量”と呼ばれ，日本の場合，年間6400億$m^3$の降水総量のうち，蒸発散する2300億$m^3$を除いた4100億$m^3$が水

## 世界各国の年平均降水量と1人あたりの降水量(2014) 〈資料：国土交通省〉

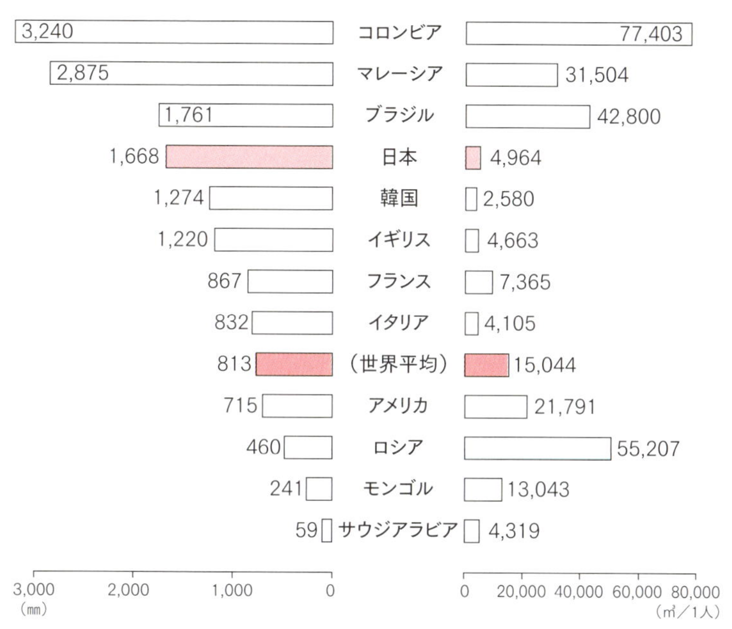


## 日本の水資源量と使用量 〈国土交通省水資源部資料をもとに作成〉

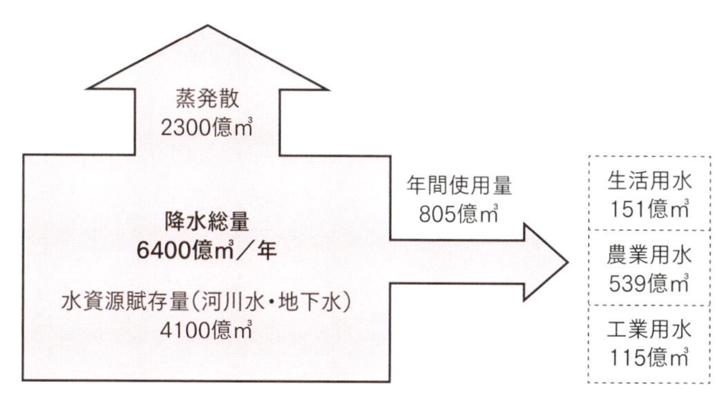


※降水総量は1981～2010年の平均降水量1690mm×国土面積37.8万km²。
※年間使用量とその内訳は2012年の調査。

資源賦存量である。しかし，日本ではこの4100億$m^3$のうち，実際に使用されているのは805億$m^3$ほど，5分の1にすぎない。

水資源賦存量の大部分は河川水だが，日本の河川は流れが急で短く，降った雨は短時間で海へ流れ出てしまい，また，雨は梅雨や台風の時期に集中して降ることが多く，水量の季節差が大きい。それにより，長大で水量の変化が少ない大陸の河川のように，効率よく安定した水利用が難しい。河川水を有効利用するために，国内には約3,000のダムがある。ただ，急な勾配の河川に造られた日本のダムは貯水量が少ない。アメリカのコロラド川にあるフーバーダムは日本最大の黒部ダムと規模はほぼ同じだが，その貯水量は約350億$m^3$で黒部ダムの実に175倍，日本国内の全ダムを合計してもその貯水量は200億$m^3$で，フーバーダム1基のやっと半分強だ。

しかし，日本では蛇口をひねれば，飲んでも安全できれいな水がいくらでも出てくるわけだし，飲料水をトイレの水洗や庭木の水やりに使っているのは，おそらく世界でも日本くらいで，日本が水に恵まれた国ではないとは多くの日本人は意識していない。それは，日本が不足分の水を大量に輸入していることを知らないからだ。といっても，水そのものを輸入しているわけではない。

日本は海外から小麦や牛肉など多くの食料を輸入しているが，それらを育てるには膨大な量の水が必要で，もし，輸入せずに国内で生産するとどれだけの水が必要なのか，これを“**バーチャルウオーター（仮想水）**”と呼ぶ。つまり，食料を海外から輸入することで節約できた水であり，それは水を輸入したのと同じことになる。日本は世界一のバーチャルウォーター輸入国なのだ。

## 世界の主要都市の１人あたりダム貯水量 〈資料：日本ダム協会〉

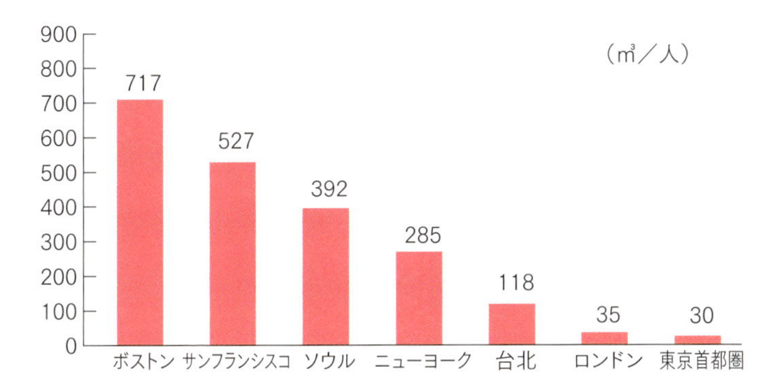


韓国は年間降水量・1人あたり降水量とも日本より少ないが，山地がなだらかなため，日本より大きな貯水量のダム湖が多い。

## バーチャルウォーター輸入量（2005） 〈資料：環境省〉



小麦 1kgを輸入すれば2t，牛肉 1kgなら 20t，鶏肉 1kgなら 4.5t のバーチャルウォーターを輸入することになる。

# 春になると，1日に日本列島に飛来する黄砂

- そもそも黄砂って何なのだろうか？
- 黄砂が飛来すると高齢者の死亡率が2.2％高まるってホント？

## ▶約10万t 国立環境研究所試算

“黄砂”とは中国大陸から偏西風に乗って飛来する微小な砂塵のことである。中国内陸部の乾燥地帯（ゴビ砂漠やタクラマカン砂漠）には，地表から50～200mに黄土と呼ばれる細粒性の土壌が堆積しており，強風が吹くと表層の微小な砂粒が上空に巻き上げられ，それが偏西風によって飛散すると黄砂と呼ばれる。黄砂は，中国東部から朝鮮半島や日本列島，一部はアメリカ大陸を越えて大西洋やヨーロッパまで達することが確認されている。

黄砂が飛来する量や日数は，発生地域のその年の植生や積雪など地表の状態，上空の風の強さに関係して年ごとに差がある。

国立環境研究所の試算によると，多く発生する年には，3～4月のピーク時には1日あたり平均で約10万t，オリンピックプール約40杯分の量の黄砂が日本上空に飛来するという。これは大気中に浮遊する黄砂粒子が1cm$^3$あたり2,000個になるそうだ。

地域別では九州など西日本への飛来が多く，東日本は比較的少ないが，東北地方や北海道でも黄砂が観測される日は1年に数日ある。黄砂の観測地点は全国に67ヵ所あるが，そのうち，もっとも飛来日数が多いのは熊本市（2003～12年積算で115日）である。

黄砂は我々の生活にどのような影響を及ぼすのだろうか。黄砂現象が著しいときは，空が黄褐色に煙り，視程が悪化して飛行機

## 黄砂現象のメカニズム

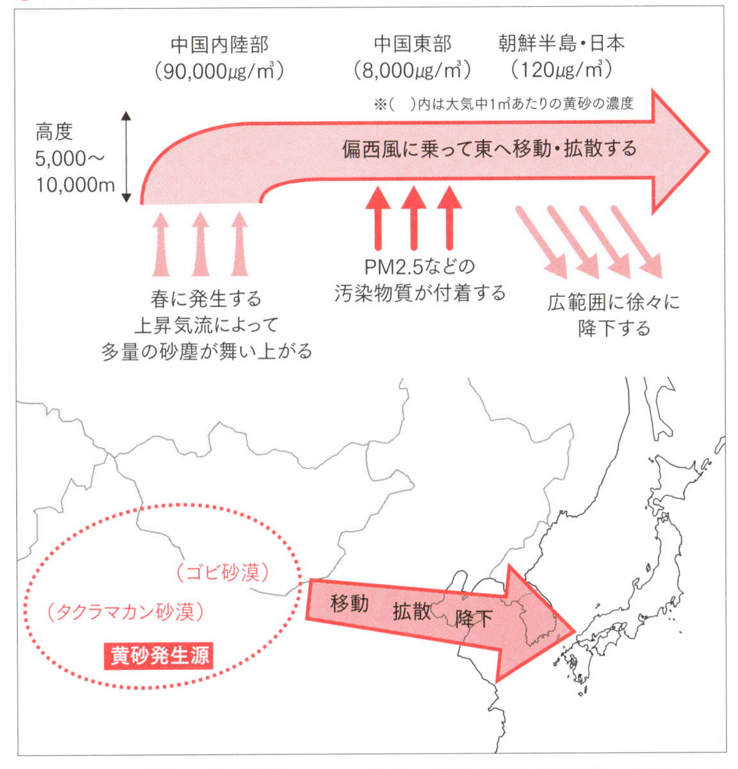


タクラマカン砂漠やゴビ砂漠における黄砂の発生量は年間1億～3億tにのぼる。大気中に舞い上がった黄砂は，重い粒子から徐々に降下するが，日本への飛来量は年間200万～700万tで，このうち，年間1m$^2$あたり1～10gが地上に降下する。

などの運航に障害が出たり，屋外の洗濯物や車に黄砂が付着したりすることは知られているが，被害は実はそればかりではない。

お隣の韓国の研究調査では，黄砂現象期間中には65歳以上の高齢者の死亡率が2.2%高くなり，特に心臓血管系疾患や気管支疾患の死亡率が4.1%増え，通院治療についても，眼科が6.2%，循環器が8.0%、上部呼吸器が13.0%，下部呼吸器が19.8%，それぞれ患者が増えることが報告されている。日本でも，黄砂の観測値が高くなると小児喘息で入院する患者が1.7倍に増えるという報告がある。最近の研究では，黄砂現象は様々な疾患と因果関係のあることが統計学的に証明されている。

黄砂は本来は土壌であり，それ自体は有害ではない。しかし，黄砂が大気中を浮遊して人口密集地帯や工業地帯上空を通過する際に，空気に含まれるカビや細菌などの微生物，硫黄酸化物や窒素酸化物などいわゆるPM2.5などの有害物質を付着させる。黄砂粒子の直径はスギ花粉の10分の1の約4$\mu$m（0.0004mm）ときわめて小さく，それらが鼻やのどの粘膜に付着すると，痛みやかゆみを伴った炎症を起こす。さらに，肺の奥に吸着すると，肺組織を傷つけ，有害成分が血液の中に流入して全身を巡り，様々な健康被害の誘因となる。

しかし，黄砂には有益性もある。黄砂に含まれるリンや鉄などのミネラルは雨で落下すると農地を肥沃にし，海の資源を豊かにし，アルカリ性の黄砂が酸性雨を抑えることも知られている。黄砂が飛来するのは自然現象であり，それを防ぐことはできないが，人間たちが有害物質を撒き散らして空を汚染しないことは可能なはずである。

## 全国各地の黄砂飛来日数（2003 ～ 2012 積算） 〈資料：環境省〉

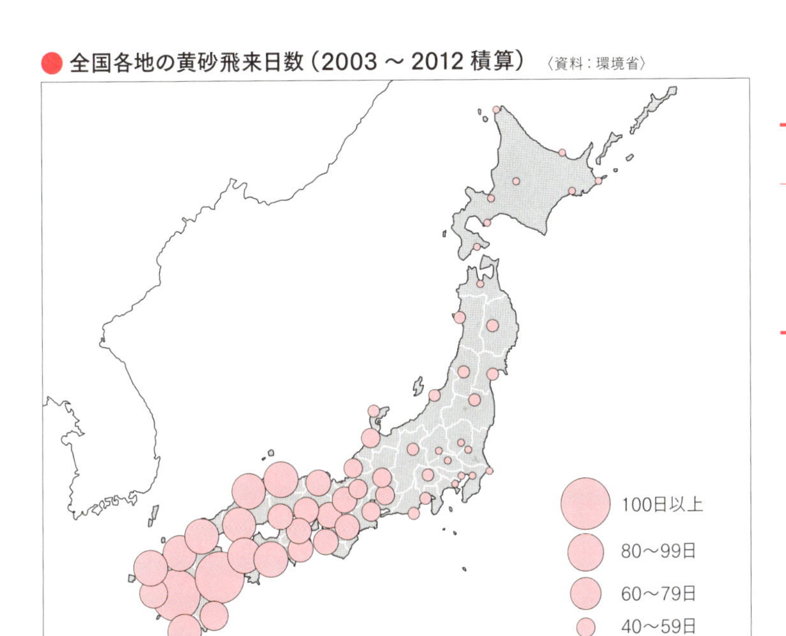


## 月別黄砂飛来延べ日数（1996 ～ 2016 平均） 〈資料：環境省〉

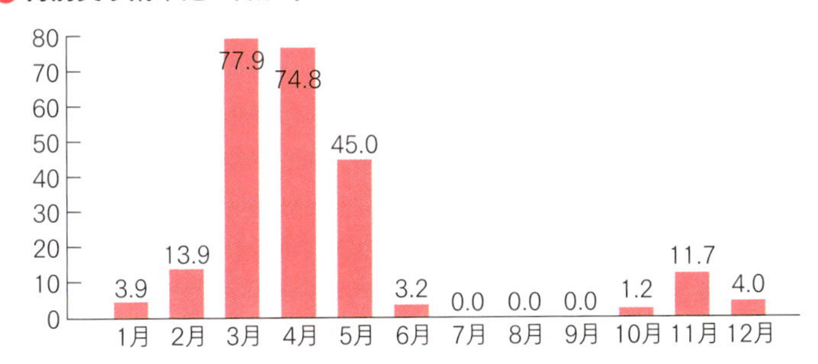

# 春になると，1日に飛散するスギ花粉

- 花粉症患者が多いのはどこ？ 少ないのはどこ？
- スギのない東京の都心になぜ大量の花粉が飛散するのだろうか？

▶ **100～400個／1cm²**（東京都内） 東京都資料

毎年，春になると，数千万の日本人が花粉症に悩まされている。花粉症はいまや国民病といっても過言ではない。花粉症の最大の要因とされるスギ花粉は，東京都心部では，平年は1月下旬から飛散し始め，2～3月のピーク時には，飛散量が1日に1cm²あたり100～400個に達する日が続く。年間の花粉飛散量（2007～16年の平均）が全国でもっとも多い水戸市（茨城県）では，2017年3月に1日に3,000個を超える大量飛散が観測された。このような数字だけではピンとこないかもしれないが，天気予報などでよく耳にする右ページに示した花粉飛散量の凡例を参照していただきたい。1日に400個，まして3,000個という数値は，とてつもない飛散量であることがご理解いただけるかと思う。4月に入るとスギ花粉の飛散は終息に向かう。しかし，量的にはスギ花粉より少ないが，4月はヒノキ花粉の飛散がピークとなり，花粉症の人にはまだつらい日が続く。

花粉症の有症率を地域的に見ると，関東地方から東海地方にかけての日本列島中央部の都府県が高く，北あるいは南の地方ほど低くなっている。また，太平洋側の県は日本海側の県よりも有症率が高い。当然だが，スギやヒノキが多い地方ほど有症率が高くなる傾向が見られる。しかし，“秋田杉”で知られ，スギ人工林の面積が全国第1位の秋田県の花粉症有症率は全国43位とかな

## 全国各地の年間花粉飛散量の推移 〈資料：環境省〉

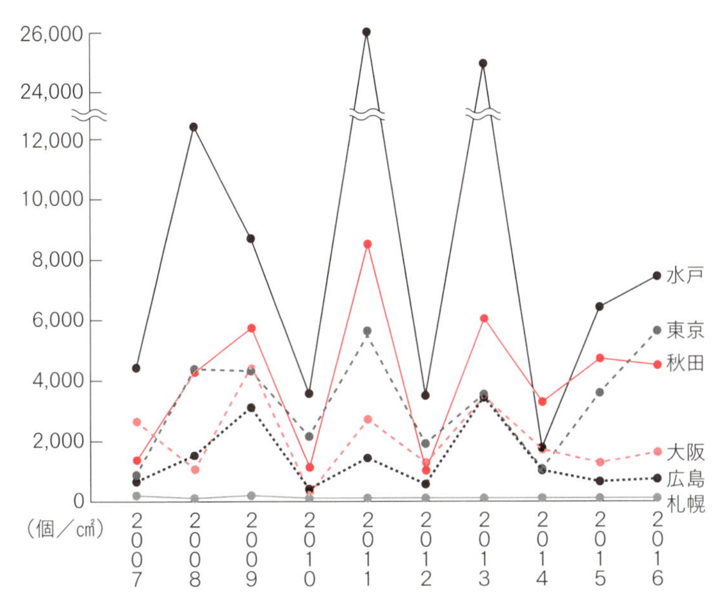


スギの花粉は雄花でつくられる。雄花は米粒くらいの大きさだが，1つの雄花には約30万個の花粉が付いており，1本のスギの木では数十億個，日本のスギの人工林面積は国土の約12％の448万haに及び，1haあたりのスギの木を1,000本と仮定すると，数十億個×1,000×448万，とてつもない天文学的な数字の花粉が毎年日本中に飛散しているわけである。

## 花粉飛散量の凡例 〈資料：日本気象株式会社〉

- 猛烈に多い………200個以上／1cm²
- 非常に多い………50個以上200個未満／1cm²
- 多い…………………30個以上50個未満／1cm²
- やや多い…………10個以上30個未満／1cm²
- 少ない………………10個未満／1cm²

※花粉飛散量は，白色ワセリンを塗布したスライドガラスを屋外に24時間静置し，そこに落下した花粉の数を計測し，1cm²あたりの花粉数で表す。

り下位である。一方，スギもヒノキもほぼ皆無，コンクリートとアスファルトで覆われた東京の都心の住民には花粉症患者が多い。花粉の生産は，日照時間や気温，降水量などの気象条件に関連し，飛散範囲は地形や風向きによって大きな影響を受けるため，地域ごと，年度ごとの花粉症の罹患状況は複雑に変化する。

東京の場合，花粉は周辺部の山々から飛来してくる。東京都西部の奥多摩の山々には，スギの人工林が広がり，その面積は23区よりも広く，また，隣の埼玉県や関東平野北部の栃木県や群馬県の山々も，全森林の30%以上をスギの人工林が占めている。これらの山林から，毎年，春が近づくと季節風によって，東京に膨大な量の花粉が運ばれてくる。東京から200km以上も離れた静岡県からスギ花粉が飛来していることも確認されている。

また，農村部の田畑や林野に落下した花粉はそのまま土壌に吸収されてしまうが，都会では，一度アスファルトに落下した花粉が自動車のタイヤで細かく粉砕され，風が吹けば何度でも舞い上がる。自動車の排気ガスが花粉症に関与しているという報告もあり，花粉の発生源はなくても，都会は農村部以上に状況が深刻だ。

対策として，花粉を飛散させない無花粉スギの開発が進んでいるが，仮に，それらを現在のスギに換えて大規模に植林するにしても，その成果が現れるのは数十年先だ。医療業界でも新しい治療法や新薬の開発に日進月歩の取り組みをしているが，残念だが特効薬の開発はまだ実現していない。近年，花粉が飛来する季節になると，スギやヒノキの木がほとんどない北海道や沖縄へ，花粉から逃れる「避粉ツアー」が注目されている。

## ● 都道府県別花粉症有症率 〈資料：『プログレス イン メディシン』2008.8〉

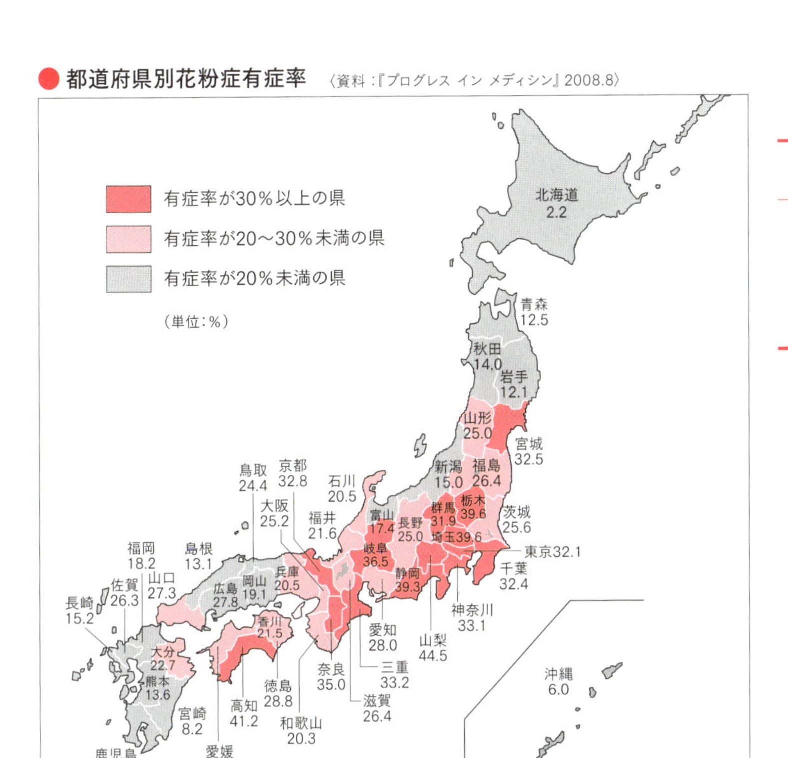


## ● 東京の花粉飛散量の推移 〈資料：東京都健康安全研究センター〉

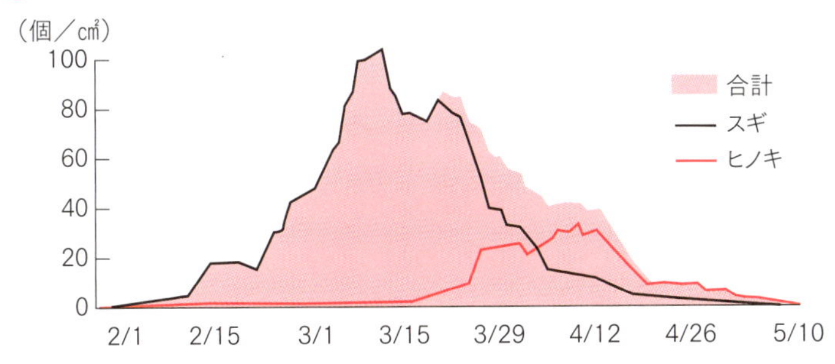


※毎日の飛散数について10年間（2006～15）の平均を求め、さらに前7日間の移動平均をとっている。
観測地：東京都千代田区

# 1日あたり，失われる日本の田畑

- 耕地・農家・農業人口は年々減少，日本の農業に希望はないのか？
- 大規模化や若年層の農業参入，今，日本の農業は変革されつつある！

農業センサス

## ▶約68ha（ディズニーランド1.3個分）

戦後の日本では食料増産が至上命題とされ，農地を増やすために国内各地で農用地開発や干拓事業が進められた。しかし，高度経済成長期の急速な工業化の進展によって，農村部の労働力が第二次産業，第三次産業に流出するようになると，国内の農家数や農業従事者数，耕地面積は年々減少し続けることになる。

2017年の国内の耕地面積は444万ha，これは最大だった1961年の609万haの73％であり，今も年間2.5万ha（2014～17年の平均），1日あたりでは東京ディズニーランド1.3個分に相当する約68haの耕地が消滅し続けている。耕地として使われなくなった田や畑は宅地など他への転用も多いが，もっとも多いのはただ何も作付けしなくなった**耕作放棄地**である。現在，その面積は42.3万haに及び，これは東京都の約2倍，富山県の面積とほぼ同じで，狭い日本の中で何とこれだけの広さの土地が何にも利用されずに放置されている。

日本の農業が継続的にその地位を低下させてきた問題点として，各農家の耕地が狭く，経営規模が小さいことがよく指摘される。農家1戸あたりの平均耕地面積は2.5haで，アメリカの170haやオーストラリアの2,970haとは桁違いの開きがあり，EU諸国の20～60haと比較してもかなり小さい。5ha以上の耕地を経営する農家を**大規模農家**と呼ぶが，そのような農家は全農家の

## 日本の農業の推移 〈資料：農業センサス〉

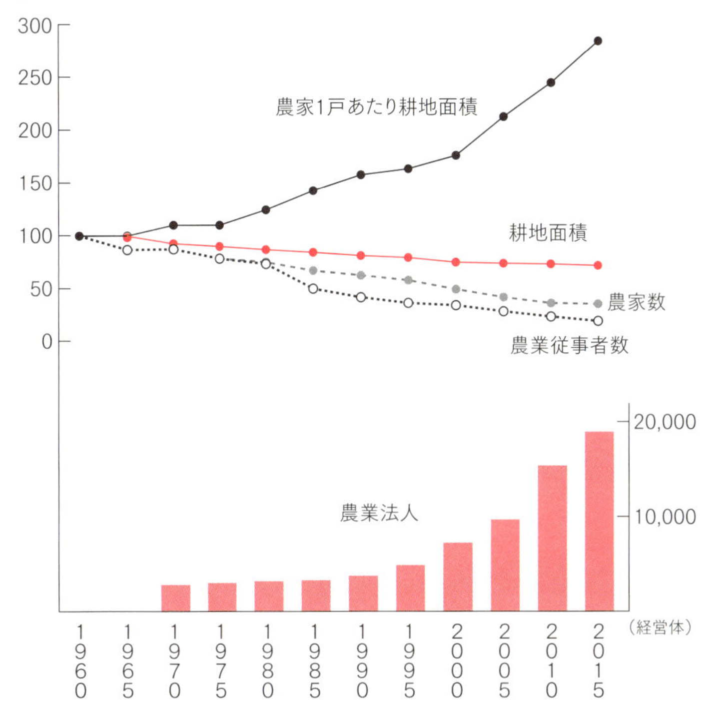


※農家1戸あたり耕地面積・耕地面積・農家数・農業従事者数は1960年を100とし，指数で表示。
※農家法人数は実数，1960年，1965年は資料なし。

## 原因別に見た耕地の減少面積（2006～15） 〈資料：農林水産省〉

| 原因 | 面積（ha） |
| --- | --- |
| 自然災害等 | 18,984（17,000haは東日本大震災関連） |
| 耕作放棄 | 99,960 |
| 非農業用途への転用 | 93,204 |
| 植林・農林道等へ転用 | 21,144 |

7.7%にすぎず，日本の農家の過半数は1ha未満の小規模経営である。

しかし，経営規模別農家数ではなく，経営規模別の耕地面積の割合からは，まったく別の実態が見えてくる。戸数では半数以上を占める小規模農家だが，それらの農家が経営する耕地面積は全耕地の11.9%にすぎない。戸数ではわずか7.7%の大規模農家が日本の約6割の耕地を経営しており，日本の農業を支えているのは小規模農家ではなく，大規模農家であることがわかる。

なお，大規模農家には一般的な家族経営の農家以外に，組合や会社などの法人形態で農業を経営する農業法人も含まれるが，今，この農業法人が急増している。その数は2016年には1万6000法人に達し，農業法人が経営する耕地は全耕地の8.8%の38.8万haを占め，日本の農業の大規模化を推進している。

農業従事者の高齢化や減少も日本の農業の問題点としてしばしば指摘される。現在，農業従事者の4分の3は60歳以上の階層が占めており，平均年齢は66.4歳，また，離農者は年間30万人と推定される。しかし，その一方で年間5万～7万人の人が新たに就農しており，そのうち，新規参入した農業経営者の年代を見ると，半数は39歳以下であり，今，農業を志す若者が着実に増えている。

農家数や農家人口が年々減り続けていると聞くと，日本の農業は衰退の一途をたどっている思われがちだが，誤解である。今，日本の農業は零細な家族経営から，大規模な組織経営へ確実に移行しつつある。肥沃な土壌，恵まれた降雨と日照，温和な気候，ちょっと土地は狭いが，本来，日本は農業最適国なのだ。

## 経営規模別経営体の割合 (2015)

〈資料：農業センサス〉

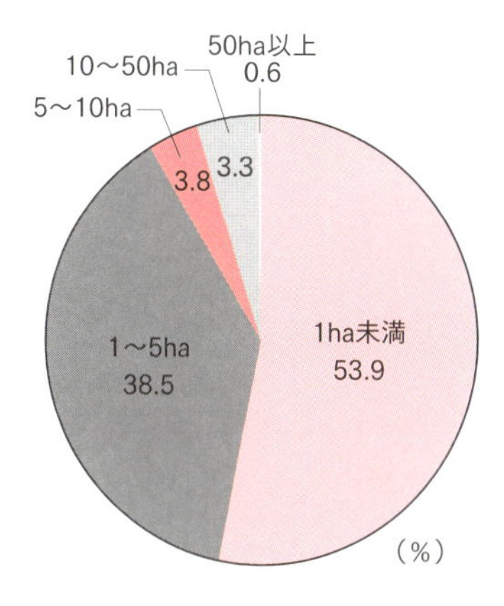


## 経営規模別耕地面積の割合 (2015)

〈資料：農林水産省大臣官房統計部〉

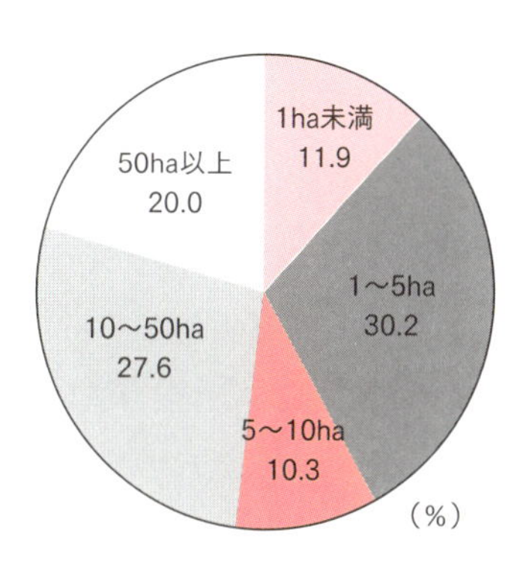


大規模農家は中小規模の農家から農作業を受託することなどによって，経営面積を拡大させている。

## 農業従事者の年齢割合 (2015)

〈資料：農業センサス〉

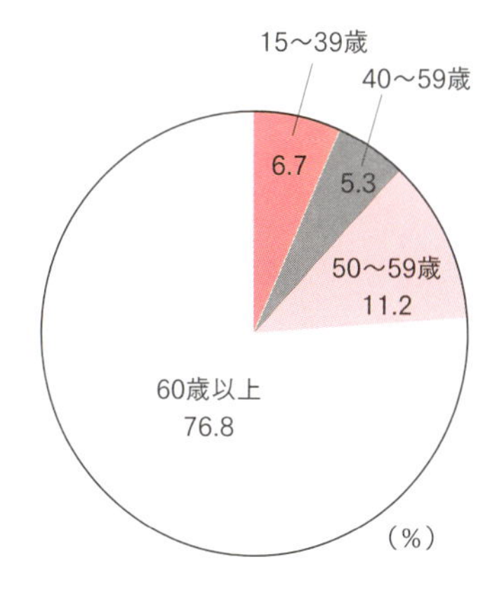


## 新規農業参入者の年齢割合 (2015)

〈資料：農林水産省大臣官房統計部〉

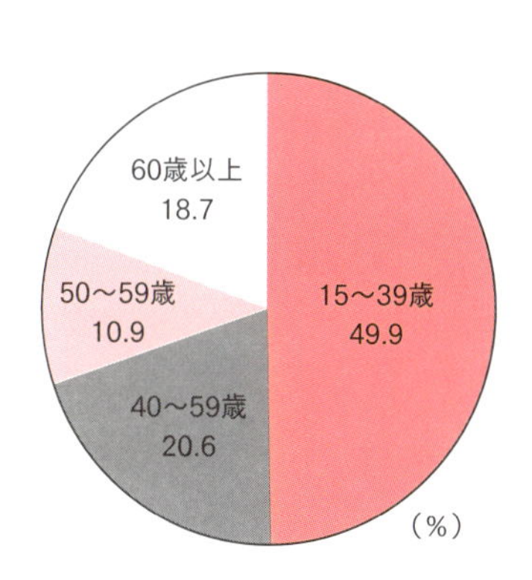

# 1日あたり，自衛隊機の緊急発進

- 2010年代の緊急発進数は1970～90年の冷戦時代とほぼ同じ。
- 緊急発進の対象となる不審機の正体は？

## ▶3.2回 防衛省統計

戦後70年以上，戦争はむろん武力行使など一度も経験していない平和国家日本だが，2016年は，1日あたり3.2回，過去最多の年間1,168回も航空自衛隊の戦闘機が緊急発進（スクランブル）していたことはあまり知られていない。

防衛省は日本の周辺空域に防空識別圏を設置し，全国28ヵ所に設けたレーダーサイトによって，24時間態勢で365日絶え間なく警戒監視を行っている。この防空識別圏は領空外の空域であり，基本的にはどこの国の航空機でも飛行は自由である。ただ，航空機の場合，領空の境界線である沿岸12海里ラインを越えると領土上空まで数十秒で到達することができ，領空侵犯後に緊急発進をしていたのでは間に合わない。そのため，領空の外周に防空識別圏を設置し，その空域に不審な航空機が侵入した時点で戦闘機を向かわせて領空への接近・侵犯に対応している。通常，レーダーが不審機を捉え，緊急発進の指令が出されると，パイロットが部屋を飛び出して戦闘機を発進させるまでの時間は2～3分だそうだ。

冷戦時代には，緊急発進のほとんどはソ連機に対するものだったが，冷戦が終結し，ソ連が解体してロシア連邦が成立した1990年代以降，緊急発進の回数は一時期減少した。しかし，2010年代に入ると，ウクライナ紛争が勃発し，欧米の対ロ経済

## 緊急発進の推移 〈資料：防衛省〉

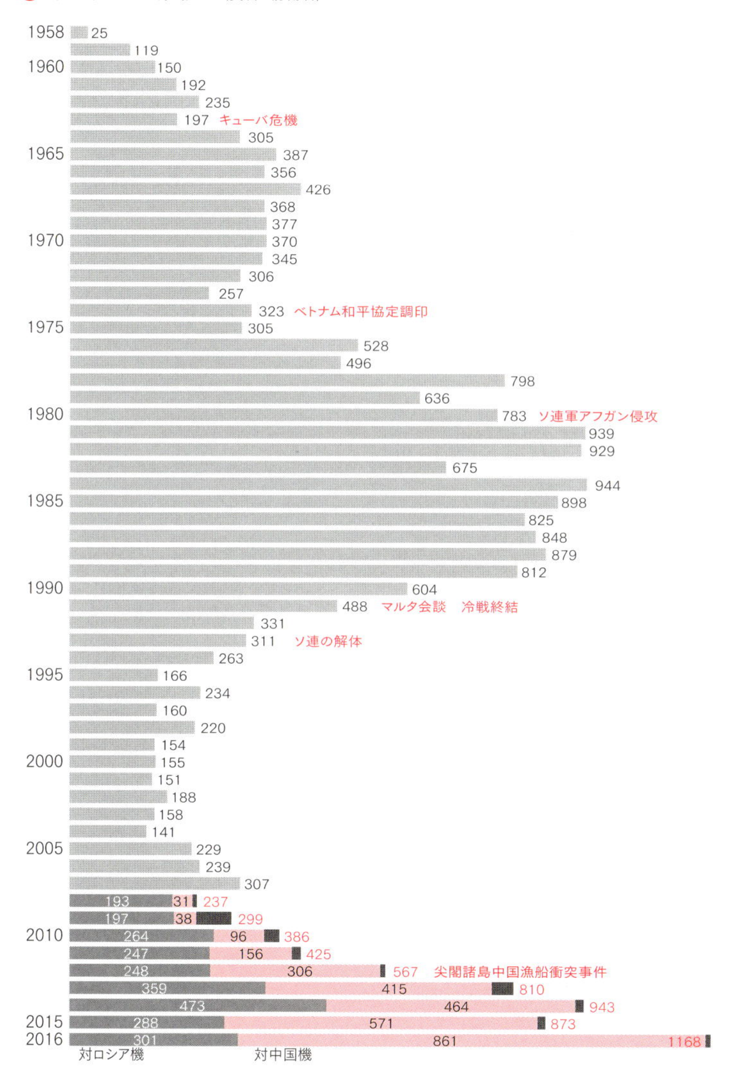


※2007 年以前は総数だが，そのほとんどはロシア機に対する発進数。
※2008 年以降は総数と，そのうちに占めるロシア機と中国機に対するに発進数。

制裁に日本が加わると，ロシア機の日本への接近回数が再び増え，さらに中国との間に尖閣諸島問題が表面化すると，中国機の飛来が活発化する。

ロシア機が日本の防空識別圏内を飛行する場合は，示威活動と電波情報収集を目的に，日本列島を周回するコースを飛行することが多いが，中国機が飛来するのは，ほとんどか尖閣諸島付近の空域である。2013年，中国は東シナ海に新たに防空識別圏を設置するが，中国の防空識別圏は，尖閣諸島上空を含み，日本の防空識別圏とはかなりの空域で重なっている。中国政府は，中国機は自国の領域を飛行しており，自衛隊機の中国機に対する追跡や監視飛行こそ不法であり，空の安全を妨げる行為なので自衛隊機の緊急発進は即刻中止せよと主張している。そのため，冷戦時代は北海道周辺を管轄する北部方面隊の出動が多かったが，近年は沖縄周辺を管轄する南西航空混成団の出動が全体の3分の2ほどを占め，ほぼ毎日，F15戦闘機が那覇基地から出動している。

尖閣諸島付近のこのような緊張は空のみならず，海上も同じで，2016年には尖閣諸島周辺の日本の領海への中国公船による侵犯数は年間121回にも及んでいる。

今後，日本政府がとることのできる対策は2つある。1つめは自衛隊や海上保安庁の設備や装備を充実させ，監視体制を強化すること。2つめは対話による解決である。自国の安全と平和を願うのはどこの国も同じはずだ。今後，両国の政府はどちらに重点を置いて，この問題の解決を図るのだろうか。

## ● 日本の領空と防空識別圏 〈資料：防衛白書〉

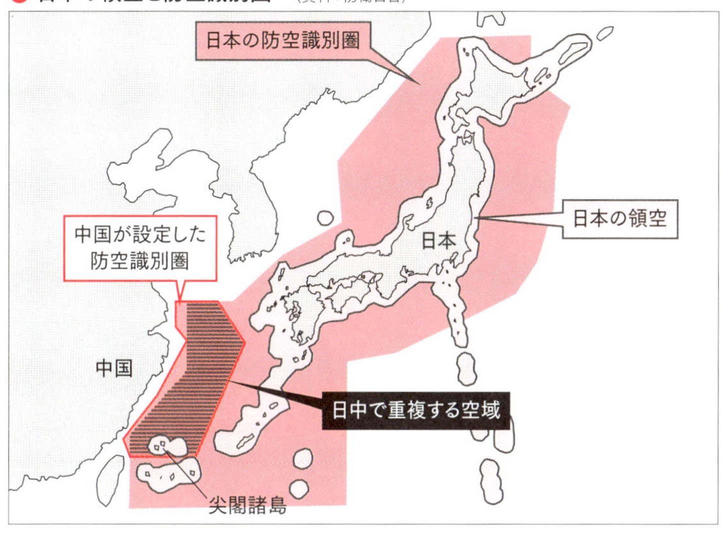

## ● 緊急発進の対象となったロシア機・中国機の飛行パターン 〈資料：防衛白書〉

# 1日あたり，全国の鉄道利用者

- 1日に地球85周分を走行する日本の鉄道の輸送力は世界No.1である。
- 都会と地方，まったく異なる鉄道事情。

## ▶推定6,655万人 国土交通省統計

1987年，旧国鉄が分割民営化されてJR各6社が発足し，約30年が経った。この間，多くの赤字ローカル線が廃止されたが，その一方で新幹線が延伸し，都市部の通勤路線が新たに開業して，全体としては国内の鉄道路線の営業キロや旅客数はほぼ一定に推移している。営業キロの総延長は，JR・私鉄・公営・営団を合わせると約2.8万km，広い国土を持つアメリカ・ロシア・中国などには及ばないが，それでも世界第8位である。1日あたりの乗客数は日本の総人口の2分の1を上回る6655万人（2015），年間では延べ243億人で，これは第2位のインドの65億人を大きく引き離し，ダントツの旅客輸送世界一である。大都市圏では10両を超える長編成の列車が2～3分間隔で運行され，全国を走る旅客車の合計走行キロは1日あたり実に地球85周分に相当する340万kmに達する。

アメリカは，鉄道の営業キロでは日本の約8倍だが，貨物輸送が中心で，国内の旅客移動の輸送機関別分担率を見ると，航空機や自動車への依存率が高く，鉄道が占めるシェアはわずか0.1%にすぎない。営業キロでは日本を凌ぐドイツやフランスも10%前後で，日本の鉄道のシェア28.7%は世界では群を抜いている。

ただ，この輸送機関別分担率を都道府県別に見ると，日本の鉄道の現状の特異な一面が見えてくる。旅客輸送の鉄道シェアがも

## 鉄道営業キロと旅客数の推移 〈資料：国土交通省〉

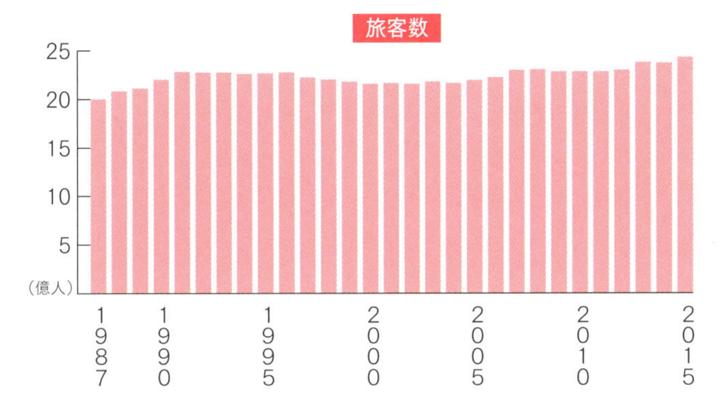


## 主要国と都道府県の輸送機関別分担率 〈資料：国土交通省等〉

| | 鉄道 | 自動車 | 航空機・船舶 |
|---|---|---|---|
| アメリカ（228,128） | 0.1 | 88.1 | 11.7 |
| ドイツ（33,426） | 9.4 | 90.0 | 0.6 |
| フランス（30,013） | 11.3 | 87.6 | 1.1 |
| イギリス（16,454） | 7.9 | 91.0 | 1.1 |
| 日本（27,754） | 28.7 | 65.6 | 5.5 |
| 東京（1,051） | 69.0 | 30.9 | 0.1 |
| 大阪（764） | 49.0 | 51.0 | |
| 神奈川（699） | 36.8 | 63.2 | |
| 島根（439） | 1.6 | 98.2 | |
| 青森（633） | 1.6 | 98.4 | |
| 宮崎（311） | 1.0 | 99.0 | |

※主要国は国内の旅客移動，都道府県は都道府県内の旅客移動 。
※（　）内は国内・都道府県内の営業キロ数単位：km。
※調査年は 2009 ～ 2014 年。

っとも高いのは東京都の69%で大阪府が49%と続く。1日あたりの鉄道利用者数を示した右の統計でも上位はすべて東京や大阪を起点とする路線や東京や大阪の都心部の駅が占めている。

その中でも新宿駅は「乗降客数が世界一の駅」としてギネスブックにも認定されており，JR新宿駅とそれに接続する京王・小田急・地下鉄の新宿駅を含めると，1日あたりの乗降客数は340万人，地下道などで接続する西武新宿駅や新宿西口駅などを加えると実に約390万人に達する（2015年）。毎日，四国4県の人口に相当する人々が新宿エリアの駅を利用しているわけである。

一方，旅客輸送の鉄道シェアが全国でもっとも低いのは宮崎県でわずか1.0%，さらに全国47都道府県中の32県は5%に満たず，地方では輸送手段としての鉄道の地位はきわめて低い。東京や大阪などを中心とする人口密集地域における鉄道利用が世界一であっても，だからといって，日本は全国どこでも鉄道利用が世界水準より高いと判断するのは誤りである。

平均通過人員が全国最少8人の芸備線（広島県）の東城駅を発着する列車は1日に上下3本ずつ，札沼線（北海道）の終点である新十津川駅は午前9時40分の札幌行きが始発であると同時に最終列車だ。つまり1日1往復，これでは地域住民が日常生活に利用できるはずがない。東京や大阪には1日に数百万人が利用する路線や駅がある反面，芸備線や札沼線のような事例が決して例外的なケースではないのが，日本の偽らざる鉄道事情なのだ。人口減少時代を迎え，地域交通はどうあるべきか，これは鉄道会社だけではなく，行政や地域社会も一緒に考えねばならない課題だ。

## おもな鉄道の１日の利用者数（2015）〈資料：各鉄道会社等〉

### 路線別利用者数（平均通過人員）

#### ◎ JR

|  |  |
|---|---|
| 山手線（品川－田端） | 1,097,093 |
| 埼京線（池袋－赤羽） | 732,145 |
| 中央本線（神田－高尾） | 675,696 |
| 東海道本線（東京－大船） | 647,306 |
| 東北本線（東京－大宮） | 609,308 |
| 総武本線（東京－千葉） | 426,522 |
| 東海道本線（大阪－神戸） | 390,684 |
| 常磐線（日暮里－取手） | 358,122 |
| 東海道本線（京都－大阪） | 344,851 |
| 環状線（天王寺－新今宮） | 286,475 |
| 三江線（江津－三次）2018.3 廃線 | 58 |
| 只見線（会津川口－只見） | 35 |
| 芸備線（東城－備後落合） | 8 |

#### ◎私鉄・地下鉄

|  |  |
|---|---|
| 東急電鉄東横線 | 448,312 |
| 東京メトロ東西線 | 380,577 |
| 小田急電鉄小田原線 | 273,094 |
| 京浜急行本線 | 264,963 |
| 大阪地下鉄御堂筋線 | 241,013 |
| 東武鉄道東上本線 | 187,171 |
| 都営地下鉄浅草線 | 183,095 |
| 京成電鉄押上線 | 175,579 |
| 阪急電鉄神戸線 | 167,447 |
| 西武鉄道新宿線 | 154,626 |
| 紀州鉄道（和歌山県） | 236 |
| 三陸鉄道（岩手県） | 187 |
| 阿佐海岸鉄道（徳島－高知） | 95 |

※「平均通過人員」は，路線 1kmあたりの１日の平均乗客数

### 駅利用者数

#### ◎ JR（乗客数）

|  |  |
|---|---|
| 新宿（東） | 760,043 |
| 池袋（東） | 556,780 |
| 東京（東） | 434,633 |
| 大阪（西） | 431,743 |
| 横浜（東） | 411,383 |
| 渋谷（東） | 372,234 |
| 品川（東） | 361,466 |
| 新橋（東） | 265,955 |
| 大宮（東） | 250,479 |
| 秋葉原（東） | 243,921 |

※（東）は JR 東日本
※（西）は JR 西日本
※乗客のみの統計なので，私鉄とは数を２倍して比較した。

#### ◎私鉄・地下鉄（乗降客数）

|  |  |
|---|---|
| 渋谷（東急） | 1,134,494 |
| 新宿（京王） | 757,823 |
| 池袋（メトロ） | 548,839 |
| 梅田（阪急） | 545,067 |
| 新宿（小田急） | 492,237 |
| 池袋（西武） | 483,407 |
| 池袋（東武） | 477,834 |
| 北千住（東武） | 443,950 |
| 梅田（大阪） | 442,507 |
| 綾瀬（メトロ） | 440,825 |

※渋谷（東急）は東横線と田園都市線２駅の合計
※（大阪）は大阪市営地下鉄（2018 年４月より「Osaka Metro」）

# 1日あたり，日本の空を飛行する旅客機

- 日本一多くの旅客機が飛んでいる航空路線とは？
- 航空路線vs新幹線その実態は？

## ▶約2,700機 国土交通省統計

国土交通省の統計によると，毎日，国際線と国内線を合わせ，延べ約2,700機の旅客機が，約82万6000人の乗客を乗せて，日本の空を飛び交っている（2016年）。そのうち，およそ8割が国内線だが，中でも，羽田空港（東京）—新千歳空港（北海道）の路線は，就航便数・旅客数とも全国一で，6時25分の始発便から21時の最終便まで約15分間隔で新千歳行きの旅客機が羽田空港を飛び立ち（千歳から羽田への逆もほぼ同様），1日あたり128機の旅客機が約24万6000人の乗客を運んでいる。

2016年3月，北海道民の悲願であった北海道新幹線が開業した。これにより，東京から函館まで最速4時間2分，所要時間は今までより約1時間半短縮した。開業後1年で229万人が乗車し，一日あたりの平均利用者数は約6,260人，開業前年の2015年には在来線である海峡線の1日平均の利用者数が約2,700人だったので，2.3倍の増加である。

ただ，北海道が本州と新幹線で結ばれたとはいえ，北海道新幹線の列車ダイヤは1日に片道13本ずつ計26本，利用者は航空機の6%にすぎず，今後，順調に新幹線利用者が増えていくのかどうかとなると楽観はできない。

理由は所要時間である。2031年までに，北海道新幹線は札幌まで延伸することが予定されているが，それでも東京からの所要

## 国内主要航空路線の１日あたりの就航状況 〈資料：国土交通省〉

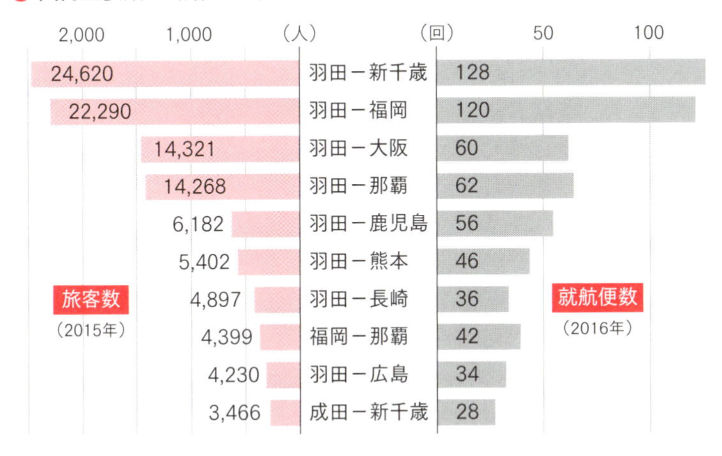


## 北海道との往来にはどのような交通機関を利用するか 〈資料：国土交通省〉

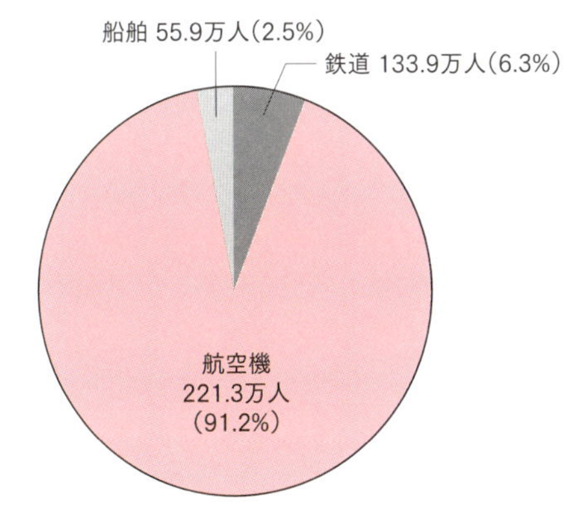


※ 2013 年調査－鉄道は在来線利用

調査の実施は北海道新幹線開業前の 2013 年であり，新幹線開通後，函館方面へは鉄道利用の比率が高まっていると推察される。ただ，新幹線と直結していない函館以北は，鉄道と航空機の所要時間の差はまだ大きく，両者の比率の変化は，現状でも大きく変わることはないだろう。

時間は5～6時間，それに対し羽田―新千歳間を飛ぶ航空機の所要時間は1時間30分，これに都心と空港間の移動時間を加えても4時間弱，利用者にとってこの時間差は大きい。

東京から札幌とほぼ同じ距離にある福岡へは「のぞみ」が直通運転をしているが，やはり9割を超える人々が新幹線ではなく，航空機を利用している。所要時間が3時間の差は大きい。しかし，東京よりも福岡に近いため，所要時間の差が小さくなる名古屋や大阪からの場合は新幹線の利用率が高くなる。鉄道は新幹線であっても所要時間が4時間を超えると航空機には対抗できず，新幹線が有利なのは所要時間が3時間以内であるといわれている。

＊東京―福岡
- 航空機（所要時間1時間55分・利用率92.7%）
- 新幹線（所要時間4時間50分・利用率7.3%）

＊名古屋―福岡
- 航空機（所要時間1時間20分・利用率51.0%）
- 新幹線（所要時間3時間14分・利用率49.0%）

＊大阪―福岡
- 航空機（所要時間1時間10分・利用率18.3%）
- 新幹線（所要時間2時間22分・利用率81.7%）

新幹線網の整備が着々と進み，リニア新幹線の開業もそう遠くはない。しかし，日本は狭いとはいえ，南北3,000kmに及び，鉄道や道路では行けない離島も多い。ビジネスでも観光でも長時間の移動は今後もやはり航空機が主役だろう。国内の主要路線は新幹線並みのダイヤで旅客機が運航しており，旅客機以外にも多くの航空機が飛び交う日本の空は世界有数の混雑空域となっている。

## 羽田空港から国内各地への航空路

東京から鉄道利用による所要時間が3時間を超えるほとんどの道府県の52の空港へ，羽田からの直行便が就航している。小松空港（石川県）が近い福井県内へは定期便がない。また，3時間圏内の新潟や仙台などへは政令指定都市であっても定期航空路は開設されていない。

ちなみに，世界で座席供給量の多い航空路線として，2014年には羽田－新千歳間が世界一，羽田－福岡間が世界第3位にランクされている。

COLUMN 1

# 日本全国の1日の気象記録

理科年表

統計開始から2015年までの全国県庁所在地の1日の最高最低の気象記録。
埼玉県は熊谷，千葉県は銚子，滋賀県は彦根，山口県は下関の記録。

| 都市名 | 最高気温(℃) | 最低気温(℃) | 最深降雪量(cm) |
|---|---|---|---|
| 札幌 | 36.2 | **-28.5** | **169** |
| 青森 | 36.7 | **-24.7** | **209** |
| 盛岡 | 37.2 | **-20.6** | 81 |
| 仙台 | 37.2 | -11.7 | 41 |
| 秋田 | 38.2 | **-24.6** | 117 |
| 山形 | **40.8** | **-20.0** | 113 |
| 福島 | 39.1 | -18.5 | 80 |
| 水戸 | 38.4 | -12.7 | 32 |
| 宇都宮 | 38.7 | -14.8 | 32 |
| 前橋 | **40.0** | -11.8 | 73 |
| 熊谷 | **40.9** | -11.6 | 62 |
| 銚子 | 35.3 | -7.3 | 17 |
| 東京 | 39.5 | -9.2 | 46 |
| 横浜 | 37.4 | -8.2 | 45 |
| 新潟 | 39.1 | -13.0 | 120 |
| 富山 | 39.5 | -11.9 | **208** |
| 金沢 | 38.5 | -9.7 | **181** |
| 福井 | 38.5 | -15.1 | **213** |
| 甲府 | **40.7** | -19.5 | 114 |
| 長野 | 38.7 | -17.0 | 80 |
| 岐阜 | 39.8 | -14.3 | 58 |
| 静岡 | 38.7 | -6.8 | 10 |
| 名古屋 | **39.9** | -10.3 | 49 |

| 都市名 | 最高気温(℃) | 最低気温(℃) | 最深降雪量(cm) |
|---|---|---|---|
| 津 | 39.5 | -7.8 | 26 |
| 大津 | 37.7 | -11.3 | 93 |
| 京都 | 39.8 | -11.9 | 41 |
| 大阪 | 39.1 | -7.5 | 18 |
| 神戸 | 38.8 | -7.2 | 17 |
| 奈良 | 39.3 | -7.8 | 21 |
| 和歌山 | 38.5 | -6.0 | 40 |
| 鳥取 | 39.1 | -7.4 | 129 |
| 松江 | 38.5 | -8.7 | 100 |
| 岡山 | 39.3 | -9.1 | 26 |
| 広島 | 38.7 | -8.6 | 31 |
| 下関 | 37.0 | -6.5 | 39 |
| 徳島 | 38.4 | -6.0 | 42 |
| 高松 | 38.6 | -7.7 | 19 |
| 松山 | 37.0 | -8.3 | 34 |
| 高知 | 38.4 | -7.9 | 10 |
| 福岡 | 37.9 | -8.2 | 30 |
| 佐賀 | 39.6 | -6.9 | 21 |
| 長崎 | 37.7 | -5.2 | 15 |
| 熊本 | 38.8 | -9.2 | 13 |
| 大分 | 37.8 | -7.8 | 15 |
| 宮崎 | 38.0 | -7.5 | 3 |
| 鹿児島 | 37.1 | -6.7 | 29 |
| 那覇 | **35.6** | **4.9** | — |

※東京の最低気温，最深降雪量はの130年以上前の明治初期の記録。
※那覇は観測史上まだ降雪の記録がない。また海洋性の気候のため，過去に観測された最高気温は全県庁所在地の中でもっとも低い。

# 2章

# 日本社会の1日

# 1日に，生まれる赤ちゃんと亡くなる人

● 日本の人口が減少するのはなぜ？　合計特殊出生率って何だろう？

● 今後，日本の人口はどのように推移するのだろうか？

厚生労働省統計

**▶出生2,680人　▶死亡3,541人**

厚生労働省は，2016年に生まれた子どもの数が98.1万人だったことを発表したが，日本が人口統計を取り始めた1899年以降，初めて出生数が100万人を割った。少子化が叫ばれて久しいが，その進行に歯止めがかからない。

少子化問題を考えるとき，“合計特殊出生率”が指標とされる。合計特殊出生率とは1人の女性が一生のうちに産む子どもの平均数のことで，人口の男女比が1対1で，すべての女性が出産可能年齢まで生きると仮定すると，合計特殊出生率が2以上，つまり1人の女性が2人以上の子どもを産めば，人口は維持されるが，現実には，男女数の違いや，成人前に死亡する女性がいるので，人口を減少させないためには2.07以上が必要と考えられている。1970年代に入り，日本はこの数値が2を下回っている。日本の合計特殊出生率が低いのは，次項で取り上げるが，未婚率の上昇や晩婚化の影響，さらに子育ての費用や負担の増加などが挙げられる。それでも2005年の1.26を最低として2011年以降は1.4台に回復しているが，ただ，出産適齢期の20代から30代の女性が減りつつあるため，その後も出生数が下げ止まらない。

2016年に死亡した人の数は129.6万人，この数も過去最多を更新した。75歳以上の高齢者の死亡数が年々増えており，2012年からは全死亡数の7割を超えている。1日あたりで見ると，出生

## 日本の出生数・死亡数と合計特殊出生率の推移 〈資料：日本統計年鑑〉

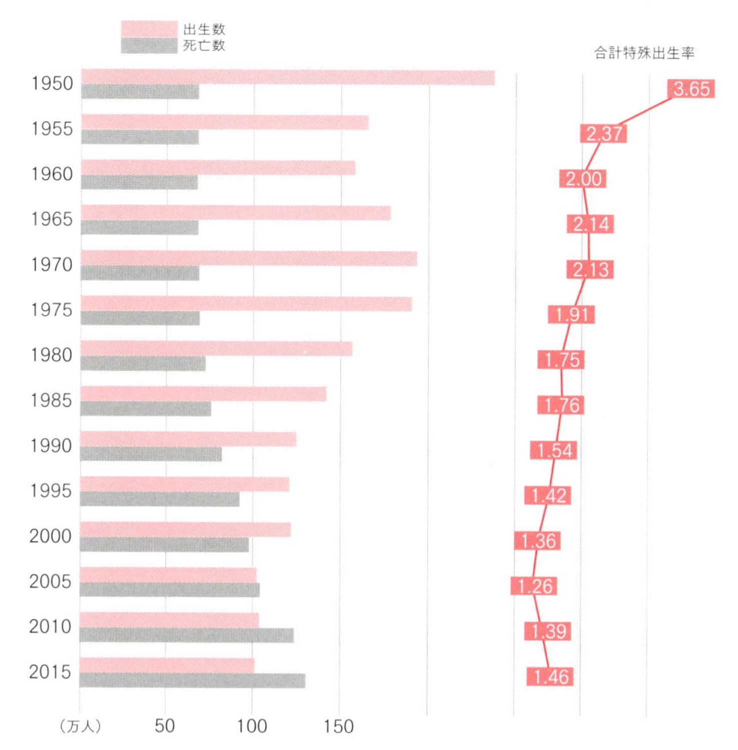




## 世界の国々の合計特殊出生率（2015） 〈資料：WORLD BANK〉

| 高 | | 中 | | 低 | |
|---|---|---|---|---|---|
| ニジェール | 7.29 | インド | 2.35 | 中国 | 1.62 |
| ソマリア | 6.37 | メキシコ | 2.22 | 日本 | 1.46 |
| ナイジェリア | 5.59 | フランス | 2.01 | シンガポール | 1.24 |
| アフガニスタン | 4.80 | アメリカ | 1.84 | 韓国 | 1.24 |
| イラク | 4.43 | イギリス | 1.81 | 香港 | 1.20 |

近年，経済成長が著しいアジア諸国の出生率が低下している。

は2,680人，死亡は3,541人で自然増減数はマイナス861人，1年ではマイナス31.5万人と，戦時中を除き，これも過去最大の減少幅を記録した。

日本の総人口は2008年の1億2808万人をピークに長期の減少過程に入っており，厚生労働省の国立社会保障・人口問題研究所の推計では，今後，2048年頃に1億人を割り，2060年から70年代半ばには現在の3分の2の約8000万人，今世紀末には最大でも約6300万人，最少の場合は約3600万人まで縮小するという。ただ，人口が減少するとはいえ，過去を遡ると，1世紀前の大正時代の人口は5000万人台，戦後の復興期だった1950年は8300万人と，当然，日本は同じ人口規模の時代を経てきている。しかし，当時と根本的に異なるのは人口構成だ。1950年当時，総人口に占める65歳以上の高齢者人口は4.9%にすぎなかったが，2060年には，それが39.9%にまで上昇すると予測され，特に，75歳以上の人口割合は6.9%に達すると予想される。1950年と2060年では総人口の規模という点では同程度だが，その構成は大きく相違する。

少子高齢化と人口減少は，国内市場規模縮小，労働力の減少による生産力低下，社会保障費の増大と若者世代の負担増など，経済，地域社会，行政など多方面に影響を与える。その対策として，継続雇用制度の導入や定年制や年金制度の見直しなどが進んでいるが根本的な解決は難しい。労働力不足の対策として外国人労働者の受け入れが加速するだろうが，今でもこれには反対する人たちが多い。根本的解決には，やはり，産まれてくる子どもが増えることが一番であり，そんな社会のしくみ作りが求められている。

## ● 日本の人口推移と将来人口推計 〈資料：国立社会保障・人口問題研究所〉

国立社会保障・人口問題研究所は，今後の出生推移や死亡推移を社会・経済面や医学・生物学的視点から低位・中位・高位を仮定し，将来人口を推計している。



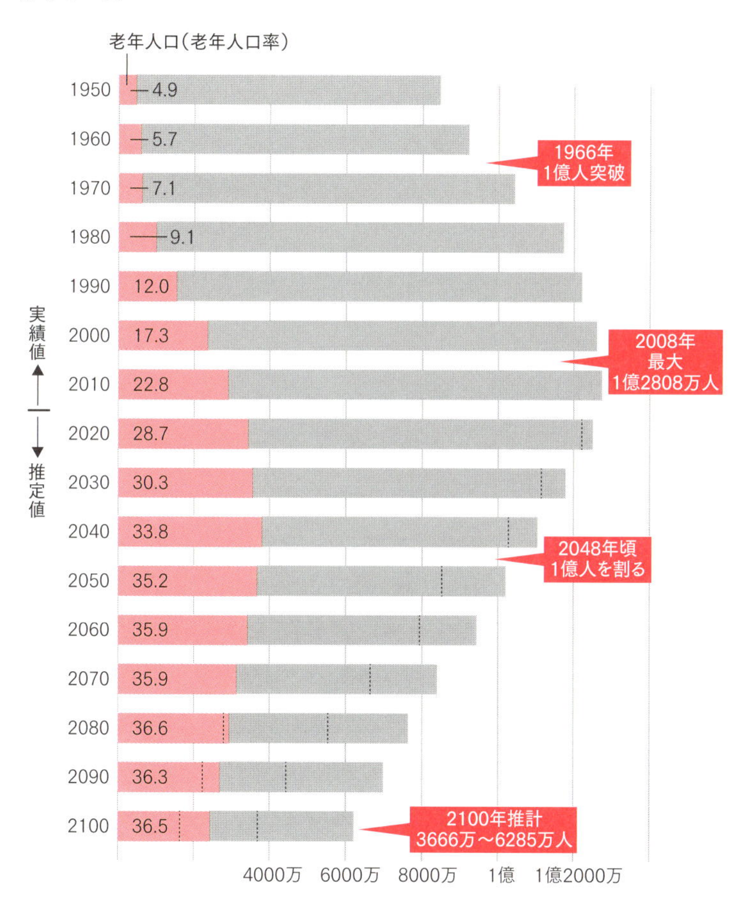


※死亡一定・出生高位と低位の推計値でグラフを作成した。
※老年人口率とは総人口に占める65歳以上の人口の割合。
※老年人口率は死亡・一定出生中位の推計値から算出。

# 1日に，結ばれるカップルと別れるカップル

- 結婚しない若者が増えているのはどのような社会背景が？
- 結婚について日本人の考え方はどう変わってきた？

▶結婚 **1,696組** ▶離婚 **593組** 厚生労働省統計

2016年，全国で1日あたり1,696組のカップルが結婚し，人生の新たな一歩を踏み出した。年間では約62万組である。団塊世代が結婚適齢期を迎えた1970年代には，年間婚姻件数は100万組を超えていたが，近年はかなり少なくなっており，おそらくこの傾向は今後も続くことが予測される。

婚姻件数減少の理由としては，少子化の進行に伴う結婚適齢期の人口減少がまず挙げられるが，近年，結婚をせず，生涯独身を通す人が増え，生涯未婚率が上昇していることも大きな要因となっている。そして，この生涯未婚率の上昇に密接に関連しているのが戦後進んできた晩婚化，すなわち結婚時の年齢の上昇である。

国勢調査が初めて行なわれた大正時代（1920），当時の日本人の平均初婚年齢は男性25.0歳，女性21.2歳だったが，戦後は徐々に上昇し続け，男性は2006年に30歳に達し，女性も2011年には29歳を超えて30歳に近づいた。晩婚化が進む背景にあるのは，女性の高学歴化や社会の意識の変化により，女性が社会で活躍する機会が増えたことだ。「女は年頃になれば結婚して，家庭に入るのが当たり前」と考えられていたのはもはや昔のこと，今や20～40代の女性の就業率は70％を超え，女性も経済的・社会的に自立できるようになり，結婚は「当然するもの」から「結婚は

## 婚姻件数・離婚件数の推移 〈資料：国勢調査〉

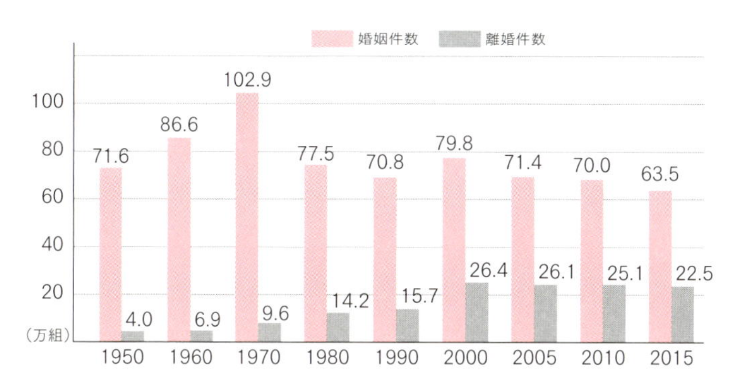


## 初婚平均年齢と生涯未婚率の推移 〈資料：内閣府〉

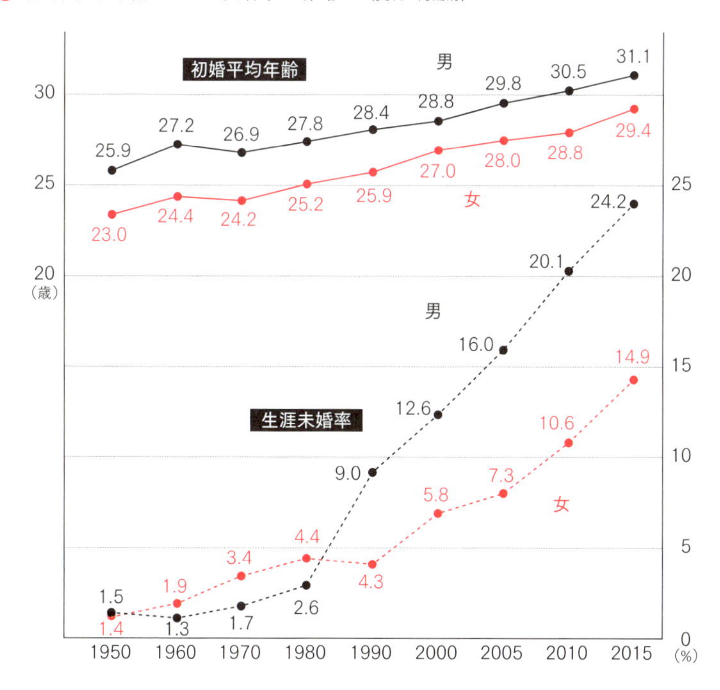

人生の選択肢の1つ，するかしないかは本人の自由」になり，結婚を急がなくても1人で生きていくことができるようになった。それでも，20代では男女とも約8割の独身者はいずれは結婚したいと希望しているが，30代になると「結婚するつもりはない」「わからない」と答える人が増えている。

また，女性の社会進出が日本より進んでいる欧米では仕事と結婚を両立させている女性が多いが，残念ながら日本の社会ではまだ結婚や出産・育児と仕事の両立が難しいのが現状であり，これが晩婚化や生涯独身者の増加に繋がっていることは否めない。女性にとって，仕事を続けることが結婚の障害とならないよう，行政や企業の一層のサポートが求められる。

なお，離婚するカップルは1日あたり593組である。数字だけを見ると近年は横ばい状態だが，戦後間もない1950年代と比較すると婚姻件数が少なくなっているのに対し，離婚件数は5倍以上に増えている。離婚の原因として多いのは性格の不一致や異性問題だが，ただ，このような夫婦間の問題は以前でもあったはずだ。しかし，一昔前までは離婚した人への世間の目は厳しく，また，離婚した女性が自立して生活するのが大変であり，女性にとって離婚は大きなリスクが伴った。戦後の離婚率の上昇の背景にあるのも，女性が自立できる社会になったことが大きい。さらに，離婚に対する偏見がなくなり，その反面，核家族化が進み，家族意識が希薄になってきたことも背景にあるだろう。

「結婚は味わってみたり，辛抱するためにあるのではない。反対に創造するものだ」。フランスの哲学者アランの言葉である。

## 結婚適齢期の未婚者の将来の結婚意向（2014）

〈資料：内閣府「結婚・家族形成に関する意識調査」〉

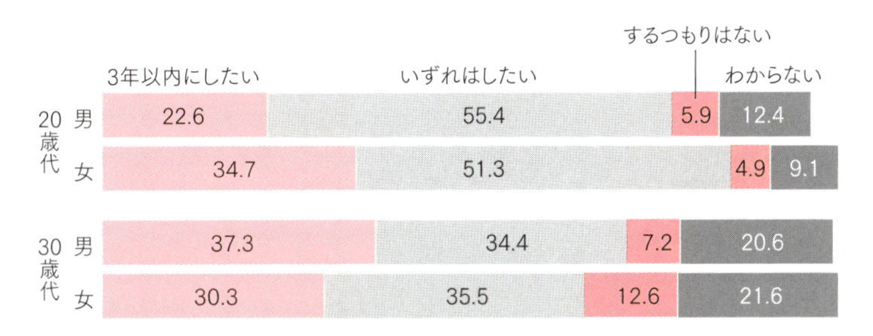




## 結婚適齢期の未婚者が独身にとどまっている理由（2015）

〈資料：国立社会保障・人口問題研究所「結婚と出産に関する全国調査」〉

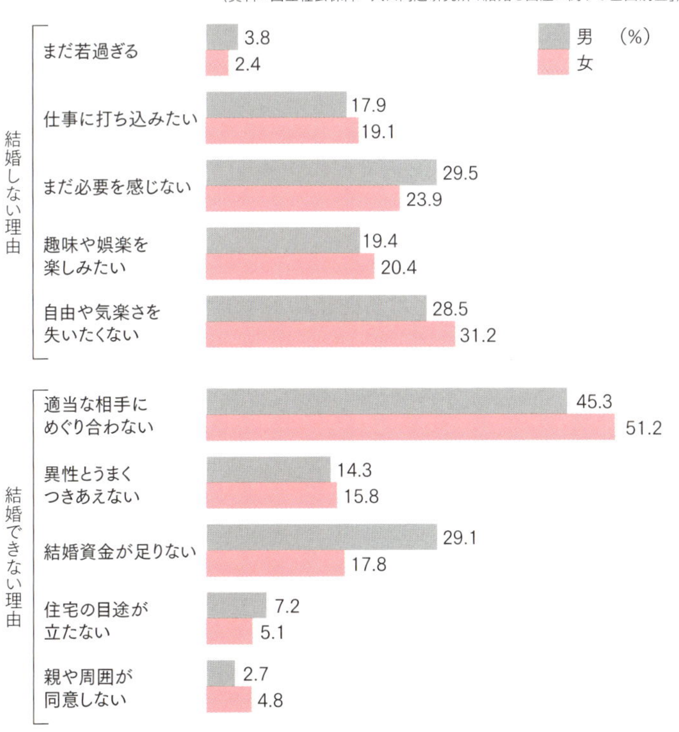

# 1日に，病院で新たに“がん”と診断される人

- 日本人の2人に1人ががんにかかる。
- 日本人の3人に1人ががんで死亡する。

## ▶約2,800人 厚生労働省統計

高杉晋作，樋口一葉，滝廉太郎，石川啄木……，近代史を見ていると，若くして結核で死んだ偉人が多い。結核などの感染症は長く日本人の最大の死因だったが，戦後は治療薬の普及や栄養状態の向上と衛生環境の改善が進み，結核で亡くなる人は激減し，2001年以降は日本人の死因順位25～27位にまで低下している。

結核に代わって，1954～80年は脳血管疾患いわゆる脳卒中が日本人の死因第1位であった。しかし，血圧コントロールや塩分摂取を控えた食生活の改善などによって，1970年代以降は脳血管疾患の死亡率も下がっている。

1981年以降，日本人の死因第1位となり，現在も罹患者数が増え続けているのは，悪性新生物，つまりがんである。2017年，国立がん研究センターは，1年間に新たにがんと診断される人の数が101.4万人に達すると発表した。毎日，全国の病院を訪れる人たちのうち，1日あたり約2,800人が新たにがん宣告を受けていることになる。がんで亡くなる人の数は1日あたり1,036人(2017年)，さらに，全国健康保険協会のホームページの冒頭には「日本人の2人に1人ががんにかかり，3人に1人ががんで死亡しています」というショッキングな表記がある。

日本の医療技術は先進国の中でもトップ水準であり，がん治療といえば，以前は手術が主流であったが，近年は化学療法や放射

## 死因別に見た死亡率の年次推移 〈資料：厚生労働省〉

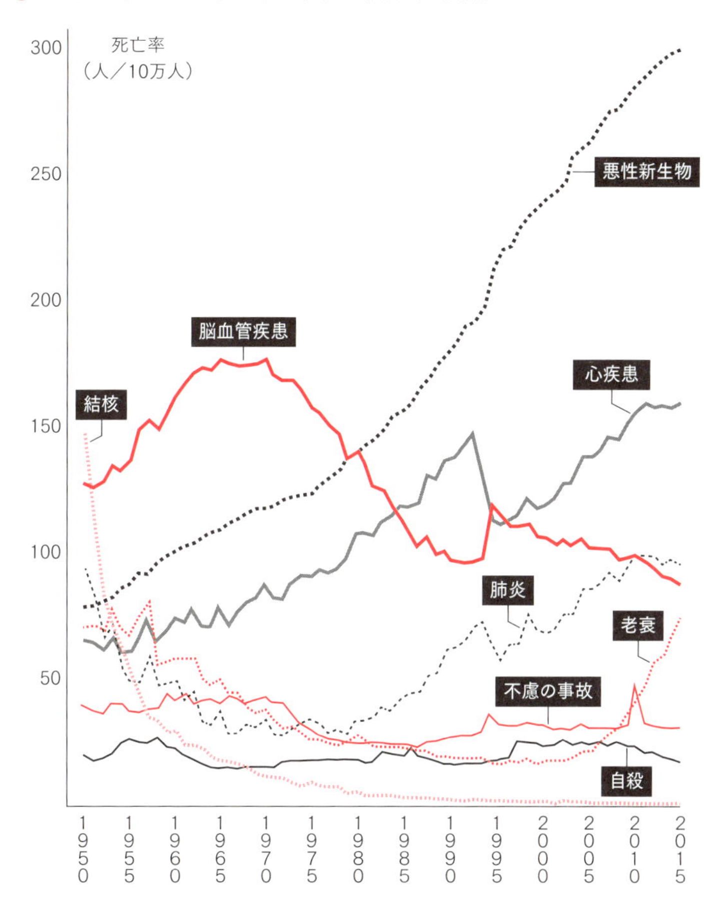


※心疾患は，心不全（58.8人），心筋梗塞（28.7人）など。
脳血管疾患は，脳梗塞（49.8人），脳内出血（25.6人）など。
不慮の事故は，溺死（6.1人），転倒・転落（6.0人）など。
（2016）

線療法の進歩が著しい。がんと診断された人が5年後に生存している割合を示す5年生存率は1990年代には53%だったが，2016年には62%にまで向上している。にもかかわらず，がんに罹患する人やがんで亡くなる人が増えているのはなぜだろうか。

端的にいえば高齢化の進行が大きな原因だ。何も日本人ががんになりやすくなったわけではなく，戦後，結核や脳卒中の死亡率が低下し，その分平均寿命が延びて，がん罹患のリスクが高くなる中高年の人口が増えたのである。「日本人の2人に1人ががんにかかる」という説だが，男女で多少の違いはあるものの実際には40歳までにがんと診断される確率は2%に満たず，60歳でも9%にとどまる。しかし，生涯なら52%に高まる。がんは老化現象の一つ，年を重ねれば、がんになるのは当然という学者もいる。また，一度は治癒しても，また新たながんが発症する場合もある。

しかし，2人に1人は生涯がんにはならないわけでもある。国立がん研究センターが示すがん予防法を紹介しておこう。

○タバコは吸わない…他人のタバコの煙もできるだけ避ける。
○お酒を飲み過ぎない…日本酒は1合，ビールは大瓶1本まで。
○バランスのよい食事…野菜をしっかり，塩分を控えめに。
○日常生活を活動的に…適度な運動を。
○適正な体型…肥満だけではなく，痩せ過ぎにも注意。
○感染症の検査を…肝炎ウイルスやピロリ菌の検査と適切な処置。

読者の方々はいくつ当てはまるだろうか。

## がんのおもな部位別死亡数（2015） 〈資料：厚生労働省〉

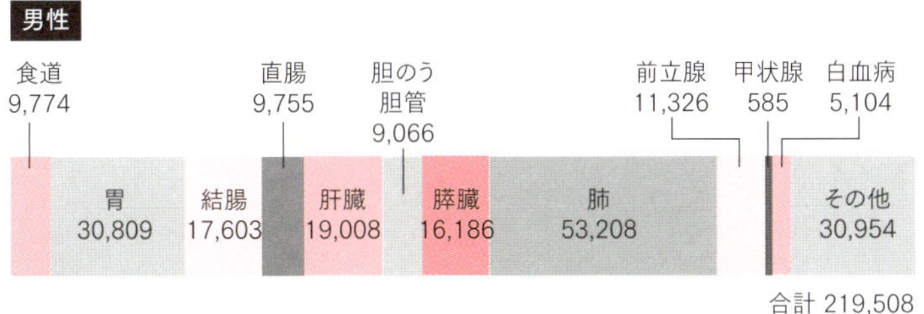


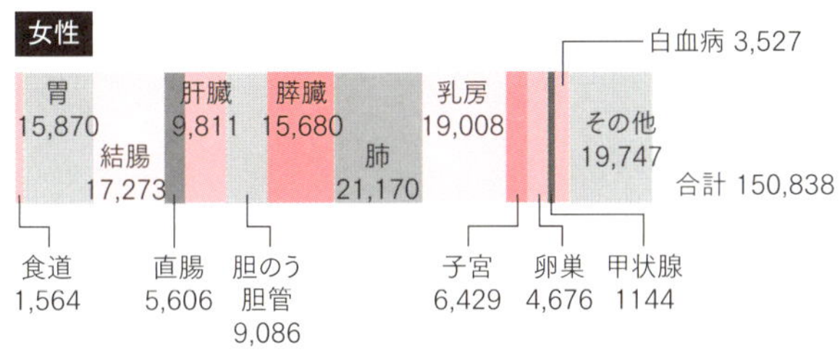


## 年齢階級別がん罹患リスク（2011） 〈資料：がん研究振興財団〉

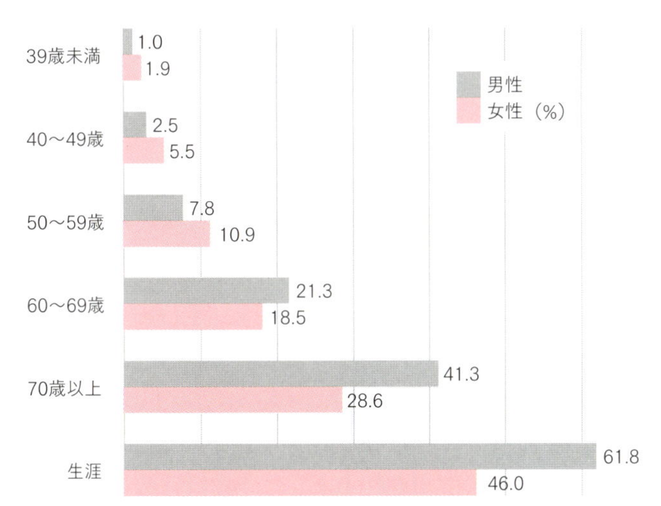

4

# 1日に，交通事故で命を落とす人

- 「交通戦争」って何だろう?
- 交通事故は減りつつあるが，その状況に新たな変化が…。

▶ **10.7人** 警察庁統計

“交通戦争”という言葉をご存じだろうか。1960年代，日本は高度経済成長を遂げるが，その陰で交通事故が激増して年間の交通事故による死者数が1万人を超える非常事態が続き，これが日清戦争（1894～95）の戦死者数1.3万人に迫る勢いであったことから，“交通戦争”と呼ばれるようになった。経済発展とともに日本国内の自動車数が急増したのに対し，歩道や信号機，道路標識など当時の交通整備がそれに追いつかなかったのである。

交通戦争の犠牲になったのは歩行者が多かった。スクールゾーンや歩道橋，ガードレールの設置などの対策が進み，1970年をピークに事故や死者は減少するが，自動車数はその後も増え続けたため，80年代に入ると交通事故は再び増え始める。このときは若者を中心に運転者の死亡事故が多くなり，“第２次交通戦争”と呼ばれた。

2000年以降は，交通事故件数，死者数ともに年々減少し続け，2016年の年間事故件数は49万9221件で，35年ぶりに50万台を割った。死者数は3,904人，これは，まだ国内には20万台（2016年の国内の自動車保有台数は8090万台）の自動車しか走っていなかった終戦直後の1948年（3,848人）とほぼ同じである。1日あたりの交通事故は1,364件，死者は10.7人，交通事故による死

## 交通事故件数・死者数の推移 〈資料：警察白書〉

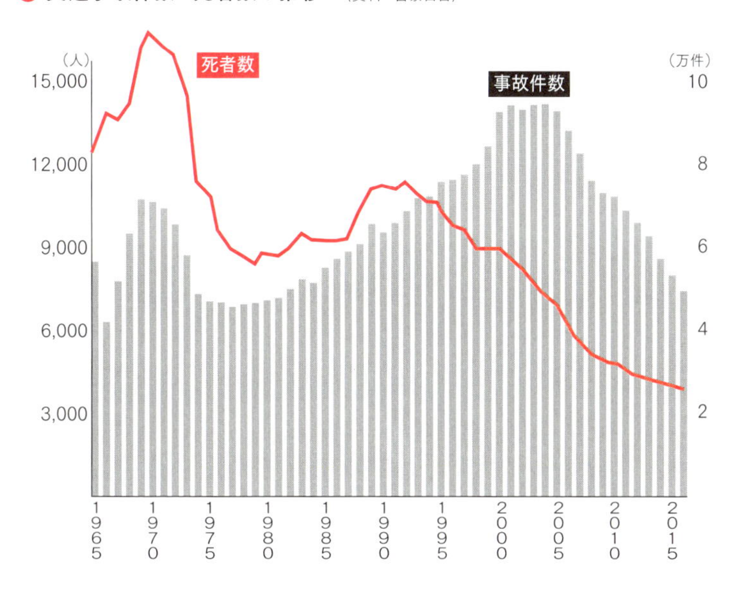


## 交通死亡事故状況の内訳(2016) 〈資料：交通安全白書〉

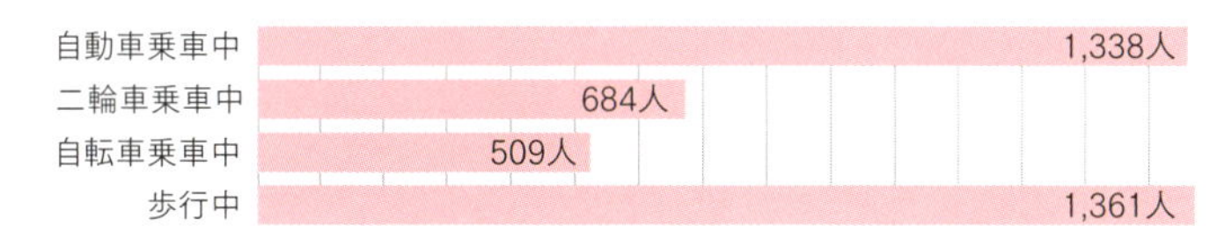


## 交通死亡事故の年齢別内訳(2016) 〈資料：交通安全白書〉

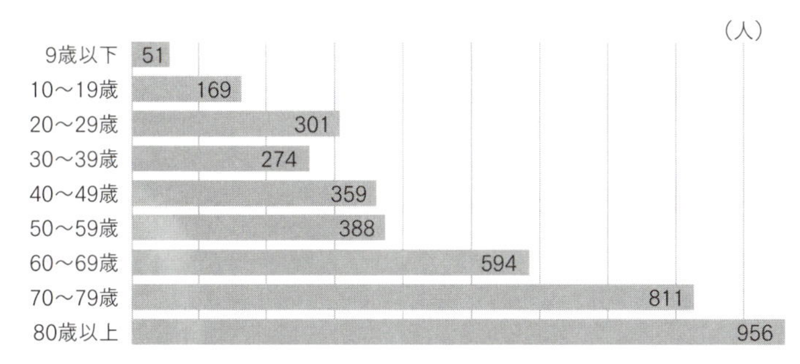

者数がピークだった1970年と比較すると事故件数では約30%の減少だが，死者数では1970年の1日あたり45.9人の4分の1以下にまで減っている。

交通事故による死者が少なくなった要因として，エアバック，自動ブレーキシステム，衝突時の衝撃を和らげる車体構造など自動車の安全性能が格段に向上したことが挙げられる。交通規則の改正と違反者に対する罰則の強化も効果を上げている。運転中の携帯電話の通話やカーナビの操作の禁止，すべての座席でのシートベルト着用やチャイルドシートの義務化などが施行され，さらに飲酒運転の厳罰化，危険運転致死傷罪の新設により，飲酒事故が大きく減少している。

最近の交通事故発生の特徴は，高齢化社会を迎え，高齢者が関わる事故の比率が高くなっていることだ。交通事故による死者のうち，65歳以上の高齢者の割合は20年前の1996年には31.6%だったが，2016年には54.7%を占めている。とりわけ，高齢ドライバーによる事故が相次いでおり，有効な対応策が急務となっている。

また，交通事故は減ってきているとはいえ，実際の死亡事故の原因を検証してみると，きちんと交通ルールを守ってさえいたら避けることができたのではと思われるケースが多い。自動車の衝突事故による死者のうち42%がシートベルトを着用しておらず，歩行中に事故死した人の62%，自転車運転中に事故死した人の78%は本人にも何らかの違反があった。交通事故に巻き込まれないためには，自分で自分の命を守るのだという意識が何よりも必要であろう。

## シートベルトの着用率 (2016) 〈資料：警察庁 JAF 合同調査〉

運転席 98.5%
助手席 94.9%
後部座席 36.0%

## 交通事故死者のシートベルトの着用状況 (2015) 〈資料：警察庁交通局〉

着用 558人
着用せず 713人
不明 51人

## 交通事故の発生時，シートベルト着用有無別致死率 (2016)

〈資料：警察庁交通局〉

シートベルトを着用せずに事故に遭遇した場合の致死率は，着用していた場合の約 15 倍になる。

## 歩行中・自転車運転中の事故死者の法令違反有無の状況 (2016)

〈資料：警察庁交通局〉

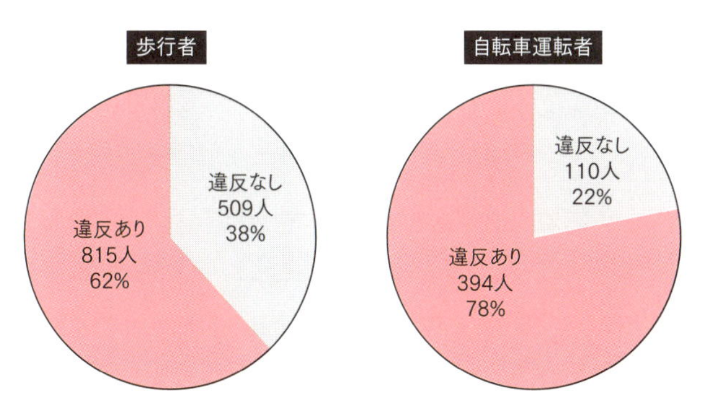


歩行者や自転車運転者には，直前横断，横断歩道以外の横断，信号無視，斜め横断などの違反が多い。

# 1日に，増える日本国の借金（債務残高）

● 日本はなぜ借金大国になった？　日本はどこからお金を借りている？

● 日本は財政破綻しないのか？

## ▶548億円 財務省統計

「日本の借金時計」というHPがある。サイト画面に表示される金額が1秒ごとに63.4万円，1分あたりでは3,805万円，1日あたりに換算すると，なんと548億円ずつ増え続けており，日本の債務残高（概算値）いわゆる“膨張する日本の借金”の実態をリアルタイムで感じることができる。

財務省の発表によると2017年3月末の債務残高は1,072兆円，これはGDP（国内総生産）の2.3倍に相当し，今や日本は世界一の借金大国となった。日本がこのように巨額の借金を抱えるようになった最大の理由は，国家予算に占める社会保障費の増大である。高齢化の進行に伴い，年金や医療費などの社会保障費は平成に入ってから2.5倍に増えているが，その一方，国家財政の柱となる税収は，1990年代のバブル崩壊以降はほとんど増えていない。支出が増えたのに収入が増えなければ，やむを得ず不足分は借金に依存することになる。

その借金が国債である。国債とはいわば国が発行する有価証券であり，日本の場合，そのおもな買い手は，国内の銀行や保険会社などの金融機関である。金融機関は国民から集めた預貯金や保険料などを国債の購入資金に充てている。つまり，間接的ではあるが，我々国民が国にお金を貸しているわけだ。

しかし，年々膨れ上がる日本の借金は，すでに国家予算の10

## ● 国家予算と公債残高の推移 〈資料：財務省〉

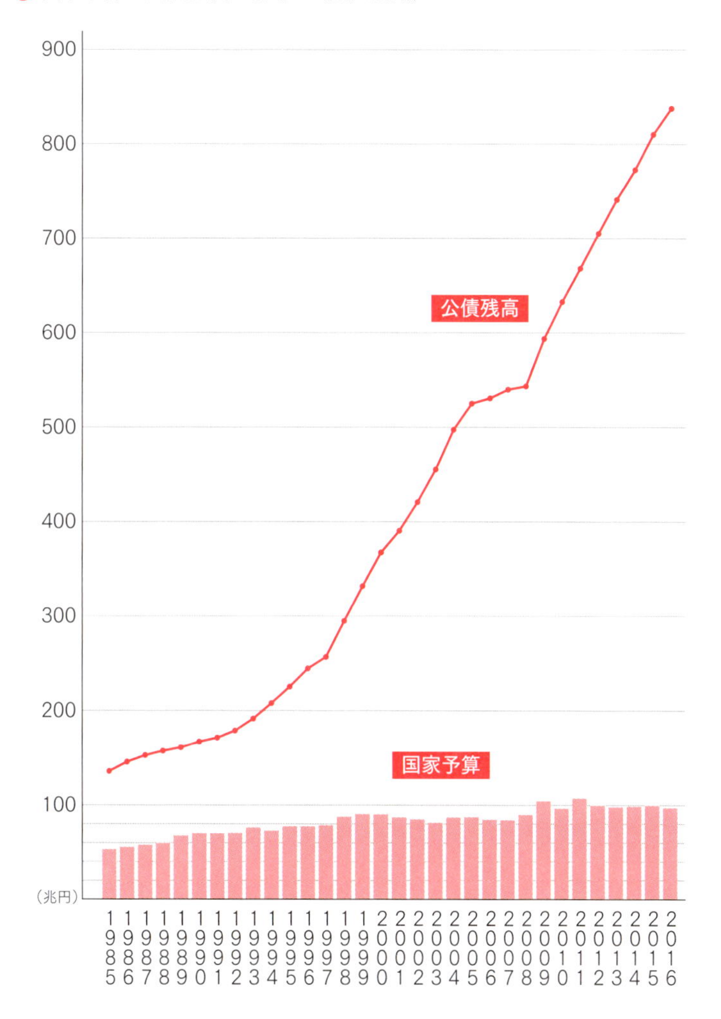


※グラフは公債残高即ち国債発行による借金の膨張を表しているが，見出しの「日本国の借金(債務残高)」は，国債に加え，政府の借入金や政府短期証券の残高などを含めた金額である。2015 年度の債務残高は 1049 兆円，内訳は，公債残高 805 兆円，借入金等 64 兆円，財投債 96 兆円，政府短期証券 84 兆円である。

倍を超えている。このような巨額の借金を抱えた日本が財政破綻する恐れはないのだろうか。当然，2009年のギリシャのような財政危機に陥ることを危惧する声はある。しかし，「いや，日本は絶対に財政破綻はしない」と言い切る政府関係者や有識者が多い。

日本が財政破綻をしない理由として挙げられるのは，日本には，574兆円の政府の金融資産，339兆円の対外純資産，約1700兆円の家計の金融資産があることである（2015年）。政府の金融資産とは，年金給付のために積み立てられた資金や国道や国有林などの国有財産のこと，対外純資産とは，国が海外に保有している資産から負債を差し引いたもの，具体的には外貨準備，銀行の対外融資残高，企業の直接投資残高などのことで，これらの規模は日本が世界一である。家計の金融資産とは一般家庭の現金や預貯金，債権や投資信託などのことである。つまり，日本は多額の借金を抱えてはいるが，実は資産も世界一なのである。

日本の国債がすべて円で発行され，そのほとんどが国内で購入されており，さらに日本は日本銀行が通貨発行権を持っているためにギリシャやイタリアのように国債の金利上昇や暴落のリスクが少ないことも日本が財政破綻しない理由とされている。

とはいっても，高齢化の進行とともに，社会保障費は増加し続け，その一方，国債を買い支えてきた家計の貯蓄率が低下し，金融資産や対外純資産が目減りしつつある現状は直視しなければならない。経済を活性化し，GDPを拡大させるなど抜本的な変革がなければ，日本が今後も経済破綻することはないとは誰にも断言できない。ギリシャの危機は決して他人事ではない。

## 平成元年度（1989）と29年度（2017）の国家予算の比較 〈資料：財務省〉

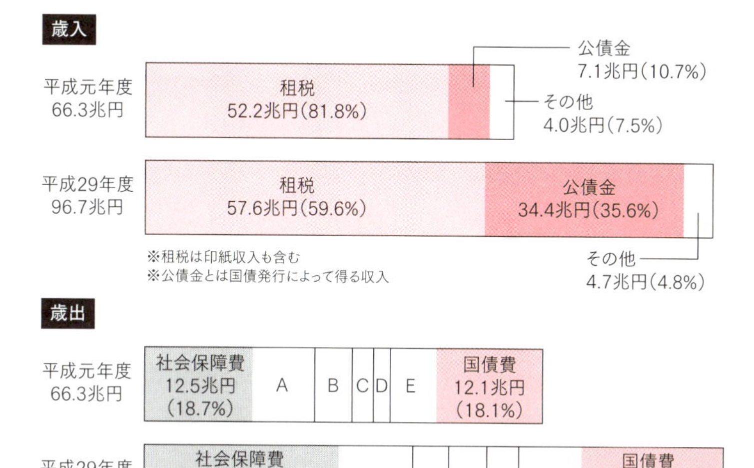


## 債務残高の国際比較（対GDP比，2016） 〈資料：財務省〉

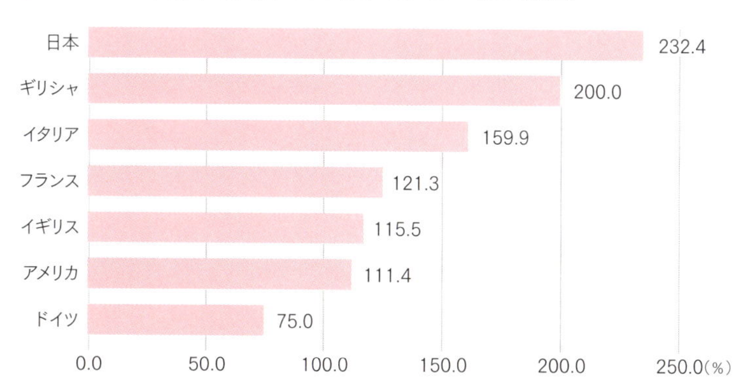


ドイツやアメリカなど多くの先進諸国が財政の健全化を進める中，膨張し続ける日本の債務残高（GDP比）は，今や世界のワースト1位である。

# 1日に，全国で倒産する企業

- 国内の全企業のうち，3分の2は赤字経営で法人税が払えない。
- 赤字でも倒産せず，黒字なのに倒産，いったいなぜ？

## ▶22.9社 東京商工リサーチ調べ

毎年，平均9.6万の会社が新たに設立される。その一方で，不運にも倒産した会社は，2016年度は8,381社，1日あたりでは22.9社だ。この件数はバブル期の1990年以来の低水準で，26年ぶりに上場企業の倒産もなく，倒産件数は8年連続で前年度を下回った。失業率も前年度より0.3ポイント減の3.1%，6年連続で低下し，政府は，景気は着実に回復してきているとコメントしている。

しかし，国税庁が発表した「平成27年度会社標本調査」によると国内の法人企業260万5774社のうち，利益計上法人は87万6402社，それに対して欠損法人はその約2倍の172万9372社，近年やや下降してきたとはいえ，バブル期以前と比較するとかなり高い割合である。欠損法人とはいわゆる決算上赤字の会社のことで，課税所得がマイナスとなるため欠損法人には法人税が課せられない。言い換えれば，利益計上法人すなわち利益をしっかり出している全体の3分の1にすぎない黒字経営の会社が国の一般会計予算のうちの法人税収入を負担しているわけである。1990年には国の税収の19%を占めていた法人税だが，近年は10%前後に落ち込んでいる。利益計上法人数がもっと多くなって，国の法人税収入が増えなければ本当の景気回復は叶わないのではないだろうか。

## 国内倒産件数の推移 〈資料：東京商工リサーチ〉

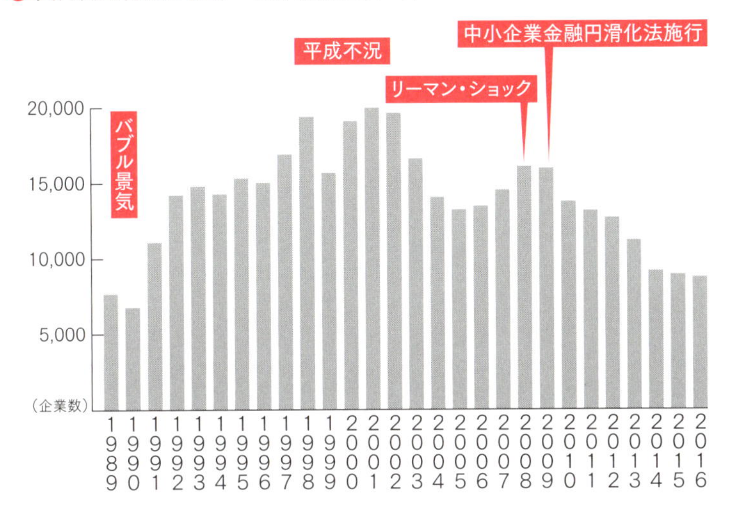


## 利益計上法人と欠損法人の推移 〈資料：国税庁〉

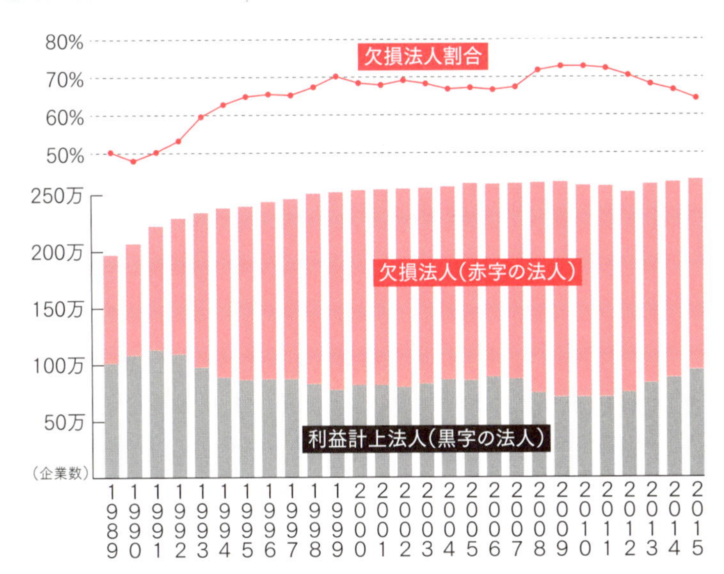

しかし，国内の会社の3分の2が法人税を払えない赤字経営にもかかわらず，倒産する会社が少ないのはなぜだろうか。そもそも，倒産の定義は何だろうか。東京商工リサーチのHPでは，「倒産とは企業が債務の支払不能に陥ったり，経済活動を続けることが困難になった状態を指す」と説明している。決算が赤字でも事業が継続できる環境であれば倒産を回避できるが，黒字でも事業継続が困難ならば倒産するのである。例えば，現有資産に余裕がある場合や，増資などで資金調達が可能なら，赤字決算でも倒産しないが，帳簿上の収支は黒字であっても，取引先の倒産などによって，売掛金が回収ができなかったり，運転資金のやり繰りができずに不渡りを出したりすると倒産してしまうわけだ。

ただ，近年は倒産件数が激減している。その最大の要因はリーマン・ショック後の2009年に制定された「中小企業金融円滑化法」である。中小企業の資金繰りを支援するため，金融機関は企業から返済期限の延長や金利の減免などの要望があった場合，それに柔軟に対応する義務を課した法律である。時限立法のために，この法律は2013年に失効したが，その後も金融庁の指導によって金融支援策は継続しており，倒産件数は低水準を続けている。

しかし，新たに起業する会社があれば，一方で倒産する会社があるのは自由経済の原理であり，業績の悪い会社をいつまでも過保護にすべきではないという主張もある。一時的に業績を上げても，絶対に失敗しない経営術などはなく，『中小企業白書』によると，実際，新しく起業した会社は1年後には73%，5年後には42%（注）しか存続していない。経済を活性化させるためには，企業にも新陳代謝が不可欠ということなのだろう。

## おもな業種の利益計上法人と欠損法人の割合 〈資料：国税庁〉

| 区分 | 利益計上法人 | 欠損法人 | 法人数 | 欠損法人割合 |
|---|---|---|---|---|
| 出版印刷業 | 7,760 | 25,046 | 32,806 | 76.3% |
| 料理飲食旅館業 | 30,759 | 92,989 | 123,748 | 75.1% |
| 繊維工業 | 2,802 | 8,122 | 10,924 | 74.4% |
| 食料品製造業 | 12,186 | 30,781 | 42,967 | 71.6% |
| 小売業 | 94,205 | 236,260 | 330,465 | 71.5% |
| 化学工業 | 11,756 | 21,545 | 33,301 | 64.7% |
| 卸売業 | 86,968 | 152,709 | 239,677 | 63.7% |
| 鉄鋼金属工業 | 19,124 | 31,405 | 505,297 | 62.2% |
| 機械工業 | 30,071 | 48,853 | 8,924 | 61.9% |
| 不動産業 | 116,209 | 182,051 | 298,260 | 61.0% |
| 金融保険業 | 18,158 | 27,487 | 45,645 | 60.2% |
| 運輸通信公益事業 | 35,149 | 50,917 | 86,066 | 59.2% |
| 建設業 | 173,873 | 246,581 | 420,454 | 58.6% |

## 企業の倒産原因（2016） 〈資料：中小企業庁〉

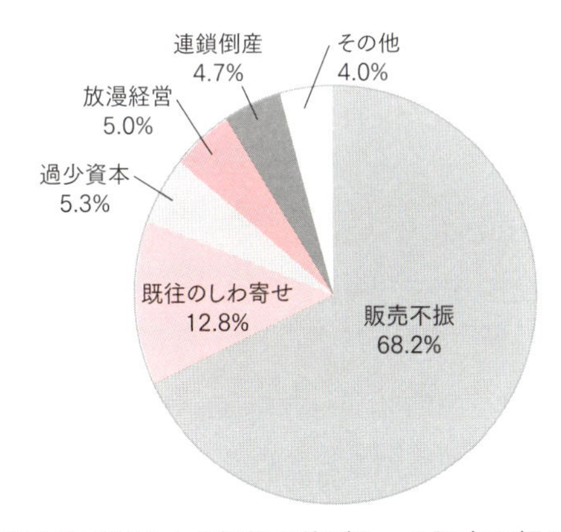


売上高が減少して収益が伸びない“販売不振”がもっとも多い。“既往のしわ寄せ”とは長期的に業績が悪化しているにも関わらず，具体的な対策を講じなかったために倒産するケースをいう。

（P.70 注）会社存続率は，調査機関により調査方法や対象が異なり，公式な報告はない。

# 1日に，海外から日本を訪れる観光客

- 日本を訪れる外国人観光客は3年で倍増。
- 外国人観光客は日本に何を期待してやってくるのだろうか？

## ▶約6万6000人

日本政府観光局統計

日本を訪れる外国人観光客が右肩上がりに増えている。2015年には，大阪万博が開催された1970年以来初めて「OUT」より「IN」，つまり出国した日本人旅行者の数を入国した外国人旅行者の数が上回り，2016年の訪日観光客は，2012年に安倍内閣が観光立国の目標として掲げた2000万人を大きく超える過去最多の2404万人に達した。初めて1000万人を超えた2013年からわずか3年，2016年には1日あたり約6万6000人の外国人観光客が日本にやって来た。

日本を訪れる観光客の4分の3はアジアからの人々で，国別では中国がもっとも多く，韓国，台湾，香港と続く。どの国も日本とは直行便でわずか1～3時間の近隣の国（地域）だ。タイなど東南アジアからの観光客も増加している。欧米からの観光客は，まだ少ないが，それでも2013～16年の3年間で1.6倍に増えている。

日本を訪れる外国人観光客が急増しているのは，何といっても日本の魅力が海外から高い評価を受けるようになったことが大きい。京都は，アメリカの旅行雑誌『Travel+Leisure』が毎年発表している世界の人気都市を決める“ワールトベストシティ”ランキングに，2017年まで6年連続してランクインするなど，欧米人には根強い人気がある。西洋文化圏の彼らは，京都や奈良など

## 訪日外国人観光客の推移 〈資料：国交省観光庁〉

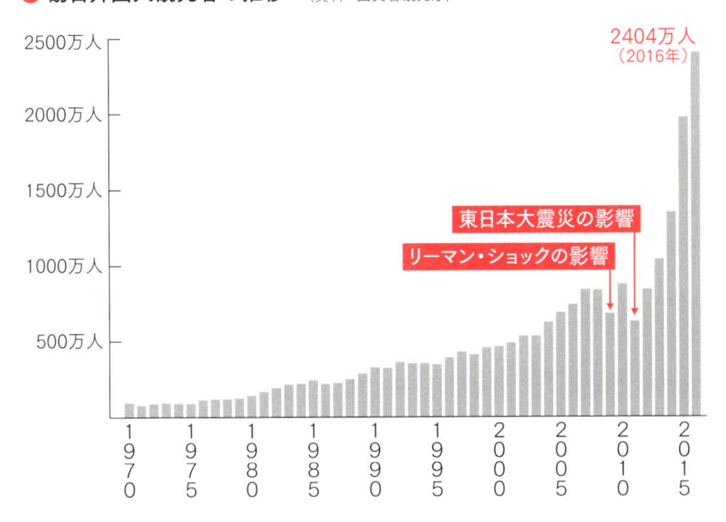


## 訪日外国人の国別・地域別割合（2016） 〈資料：日本政府観光局〉

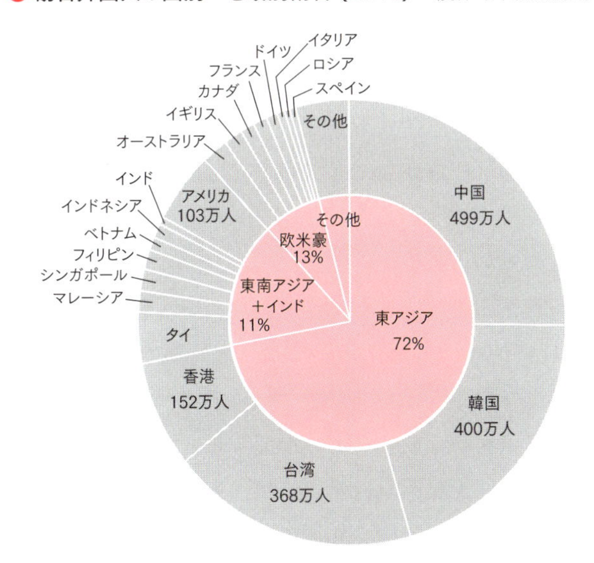

の史跡を巡ったり，歌舞伎や演劇を鑑賞したり，日本の歴史や伝統文化に触れることを期待している。

中国からの人々が楽しみにしているのは，かつて，デパートや量販店で大量に買い物をした“爆買い”は下火になったが，それでもやはり日本でのショッピングだ。彼らが買物に費やす金額は1人あたり12.4万円（2015）で，アメリカ人観光客の2.6万円の5倍に近い。ある観光客は「中国でも日本製品は売られているが，偽物が多く，日本で買えば安心」と答え，高品質・高性能の日本製品への信頼や憧れが背景にあるようだ。タイやベトナムなど東南アジアからは，自国では体験できない桜・紅葉・雪などの四季の移ろいに接することを求めて日本を訪れる人が多いという。

国や地域を問わず，どこの国の人も日本での楽しみの一番に挙げるのは日本食だ。日本食というと，寿司や天ぷらが定番だが，最近の一番人気はラーメンだ。とんかつ，カレーライスなども意外と外国人に好まれている。温泉体験は，中国や韓国の人たちには人気だが，欧米人は苦手のようだ。

ただ，外国からの観光客が急増しているとはいえ，世界と比較すると，日本への訪問外国人数は16位（2016年），観光大国化への真価が問われるのはこれからだ。観光地でも英語が通じない，外国語表示の観光案内板やパンフレットが少ない，駅や商業施設での無線LAN環境が不備な箇所が多いなどといった不満の声もあり，日本を訪れた外国人観光客は必ずしも日本に100%満足して帰国するわけではない。彼らは様々な期待を抱いて日本を訪れるわけだが，日本が観光大国を目指すには，もっと外国の人が居心地のよくなる国にしなければならない。

## ●日本への旅行では何がよかったか？(2015)　〈資料：国土交通省観光庁〉

| 旅行者の居住地 | 中国 | 韓国 | 東南アジア | 欧米 | オセアニア |
|---|---|---|---|---|---|
| 日本の食事 | 64.5 | 52.3 | 61.3 | 54.1 | 84.2 |
| ショッピング | 62.6 | 33.3 | 45.2 | 13.5 | 42.1 |
| 温泉 | 62.6 | 47.7 | 12.9 | 2.7 | 5.3 |
| 自然景観 | 24.3 | 24.3 | 50.0 | 29.7 | 63.2 |
| 伝統的景観・史跡 | 18.7 | 22.5 | 37.1 | 48.6 | 57.9 |
| 繁華街の見物 | 18.7 | 20.7 | 27.4 | 35.1 | 21.1 |
| テーマパーク・遊園地 | 1.9 | 19.8 | 19.4 | 2.7 | 5.3 |
| 伝統文化の鑑賞・体験 | 1.9 | 0.9 | 11.3 | 13.5 | 15.8 |
| 日本人との交流 | 3.7 | 10.8 | 21.0 | 37.8 | 36.8 |

※複数回答可，数字はよかったと回答した人の比率(％)。



## ●世界各国，地域への外国人訪問者数(2016)　〈資料：日本政府観光局〉

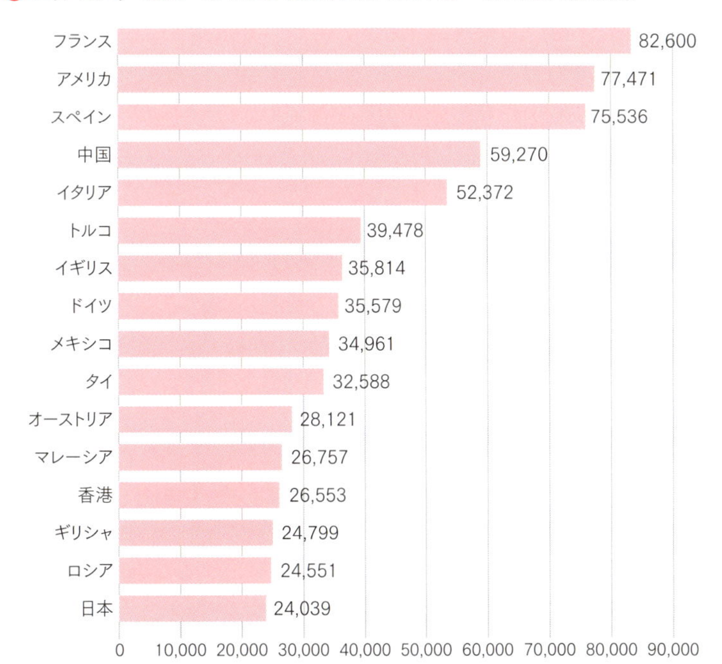

# 1日あたり，東京ディズニーリゾートの入園者

- ディニーリゾートとユニバーサル・スタジオが人気絶頂，そのワケは？
- 人が集まるパークと集まらないパーク，その違いはどこに？

## ▶約8万2000人

オリエンタルランド発表

今，テーマパークが好調である。1983年に東京ディズニーランドが日本初の本格的テーマパークとして開業し，2001年に開業したディズニーシーと合わせたディズニーリゾートの今までの累積入園者数は日本の総人口の5.5倍，7億人を突破した。1日あたりでは約8万2000人，2013年以降は年間3000万人を超える集客を続けており，毎年，日本人の4人に1人が来園していることになる。

ユニバーサル・スタジオは，2016年の入園者数が前年度比約5%増の1460万人でディズニーランドに次ぐ第2位，この年の10月には過去最多の175万人が入園し，単月の記録ではあるが，ついに王者ディズニーランドの月間160万人を上回った。

2014年の全国のテーマパークや遊園地の入園者の総数は約8000万人，これは5年前の2010年より18%増，売上高は初めて6000億円の大台に達し，2010年より31%増となった。なかなか景気が上向かず，消費が低迷する中で，海外へ出かける旅行者が年々減少し，国内消費へ回帰する動きが高まっていることが，入園者や売り上げの増加に繋がっていると推測される。

ただ，全国どこの遊園他やテーマパークも順風満帆というわけではない。ディズーランドやユニバーサル・スタジオなど大手のテーマパークは，次々と新しいアトラクションを導入し，季節ご

## 全国の主要集客施設入場者数ランキング

〈資料：トラベルボイス・総合ユニコムなど〉

**テーマパーク（2016）**

| 施設 | 入場者数 |
|---|---|
| 東京ディズニーランド・ディズニーシー（千葉県） | 30,004 |
| ユニバーサル・スタジオ・ジャパン（大阪府） | 14,600 |
| ハウステンボス（長崎県） | 2,894 |
| サンリオピューロランド（東京都） | 1,807 |
| 志摩スペイン村パルケエスパーニャ（三重県） | 1,227 |

**遊園地（2016）**

| 施設 | 入場者数 |
|---|---|
| 鈴鹿サーキット（三重県） | 2,010 |
| よみうりランド（東京都） | 1,930 |
| ひらかたパーク（大阪府） | 1,209 |
| としまえん（東京都） | 956 |
| ツインリンクもてぎ（栃木県） | 712 |

**動物園・水族館（2016）**

| 施設 | 入場者数 |
|---|---|
| 東京恩賜上野動物園（東京都） | 3,843 |
| 美ら海水族館（沖縄県） | 3,600 |
| 東山動物園（愛知県） | 2,408 |
| 海遊館（大阪府） | 2,380 |
| 名古屋市水族館（愛知県） | 1,967 |

**ミュージアム（2016）**

| 施設 | 入場者数 |
|---|---|
| 国立新美術館（東京都） | 2,852 |
| 金沢 21 世紀美術館（石川県） | 2,554 |
| 国立科学博物館（東京都） | 2,472 |
| 東京国立博物館（東京都） | 1,908 |
| 広島平和記念資料館（広島県） | 1,740 |

**その他（2014）**

| 施設 | 入場者数 |
|---|---|
| 刈谷ハイウェイオアシス（愛知県） | 8,428 |
| 淀川河川公園（大阪府） | 6,462 |
| おかげ横丁（三重県） | 5,785 |
| MEGA WEB（東京都） | 5,700 |
| 東京スカイツリー（東京都） | 5,310 |

単位：1000 人

とに多彩なイベントを実施しており，1日いても飽きることがなく，何度も訪れるリピーターが多い。ディズニーランドの場合，リピーター率は約95%，ユニバーサル・スタジオ約は70%といわれている。入園者数が増えれば収益増に繋がり，収益増は新たな設備投資を可能にし，それがまた入園者の増加に結びつく。

テーマパークは，明治村（1965年）や映画村（1975年）の開業がその先駆けとされるが，ディズニーランド（1983年）の成功に触発され，1990年代に一気に全国各地でテーマパークの設立ラッシュが起こった。しかし，世界ブランドであるディズニーランドは別格であり，ディズニーランドを模倣し，甘い見通しで大規模施設に巨額の投資をした地方のテーマパークは，やがて集客に苦戦するようになり，経営が破綻して次々と閉園に追い込まれてしまう。

2000年代に入ると，大規模なテーマパークの開業はほとんどなくなるが，規模は小さくても独自性のあるテーマパークが業績を伸ばしている。ラーメン博物館はフードパークという新しいジャンルを切り拓き，その後，各地にカレー・ギョウザ・すしなどのフードパークが出現する。子どもたちが様々な職業を疑似体験するキッザニア東京の広さは6000m$^2$，ディズニーランドの85分の1にすぎないが，年間入場者数は90万人にのぼり，予約がないと入場できないことがあるほど盛況だ。小規模施設だからこそ，ターゲットを明確に絞り込み，エディテイメント（遊びながら学ぶ）という従来にはなかったテーマで成功している。消費者のニーズは多様化しており，それに対応し，他のパークとコンセプトを明確に差別化した施設がこれからも人気を集めるだろう。

## テーマパーク開業の歴史

| | |
|---|---|
| 1965 | 博物館明治村（愛知） |
| 1975 | 東映太秦映画村（京都） |
| 1983 | 野外民族博物館リトルワールド（愛知） |
| 1983 | 東京ディズニーランド（千葉）…日本初の本格的テーマパーク |
| 1983 | 長崎オランダ村（長崎） **2001年閉園** |
| 1986 | 日光江戸村（栃木） |
| 1990 | スペースワールド（福岡） **2017年閉園** |
| 1990 | サンリオピューロランド（東京） |
| 1991 | レオマワールド（香川） **2000年休園** …2004年 NEW レオマワールド開業 |
| 1991 | サンリオ・ハーモニーランド（大分） |
| 1992 | ハウステンボス（長崎）…2010年 HIS の支援で再生 |
| 1993 | 東武ワールドスクウェア（栃木） |
| 1993 | 伊勢戦国時代村（三重） |
| 1993 | 新潟ロシア村（新潟） **2003年閉園** |
| 1993 | えさし藤原の郷（岩手） |
| 1994 | 新横浜ラーメン博物館（神奈川）…日本初のフードパーク |
| 1994 | 志摩スペイン村パルケエスパーニャ（三重） |
| 1994 | ポルトヨーロッパ（和歌山） |
| 1995 | 鎌倉シネマワールド（神奈川） **1998年閉園** |
| 1996 | ウルトラマンランド（熊本） **2013年閉園** |
| 1996 | 加賀百万石時代村（石川） **2004年閉園** |
| 1997 | 倉敷チボリ公園（岡山） **2008年閉園** |
| 1997 | 富士ガリバー王国（山梨） **2001年閉園** |
| 1997 | 沼田ドイツ村　ケイニッヒ・クロルト（群馬） **2002年閉園** |
| 2001 | ユニバーサル・スタジオ・ジャパン（大阪） |
| 2001 | 東京ディズニーシー（千葉）…ディズニーリゾートの第2パーク |
| 2002 | ラグーナ蒲郡（愛知）…2014年　ラグーナテンボスへ改称 |
| 2006 | キッザニア東京（東京）…子ども対象の社会・職業体験施設 |
| 2006 | キッザニア甲子園（兵庫） |
| 2017 | レゴランド・ジャパン（愛知） |

テーマパークとは文化・歴史・科学など特定のテーマに基づいて，展示・イベント・景観などが総合的に構成・演出された有料施設。

# 1日に，日本のどこかに“くまモン”が現れる回数

- くまモングッズの売り上げは1日に約3億5000万円。
- くまモンの認知度はハローキティやポケモンを上回る93%。

## ▶平均3.2回 くまモンオフィシャルHP

“くまモン”は多忙だ。北海道から沖縄まで国内はむろん，ドイツ・フランス・台湾・タイなどなど時には海外まで，1日あたり3.2回出動している(2017.1～6平均)。しかも,右のスケジュールからもわかるように熊本・福岡・広島・千葉・大阪・台湾など，依頼があれば，同じ日にどんなに遠く離れた場所でも出動する。くまモンは5～6人（匹？）いるに違いないと野暮な推察をする人がいるが，くまモンファンの間では，くまモンには瞬間移動や分身の術といった特殊能力があるとささやかれている。しかし，くまモンは自ら語らないので，真相は謎だ。

くまモン以外にもふなっしー・ひこにゃん・せんとくん・ぐんまちゃんなど全国にはいわゆるご当地ゆるキャラと呼ばれる多くのマスコットキャラクターが活躍している。3,000とも4,000ともいわれるそのような数多くのゆるキャラの中で，くまモンの知名度や好感度は群を抜き，グッズの売上高は右肩上がりに増え続け，2016年にはついに1280億円に達した。これは1日あたり3億5000万円になり，初代ゆるキャラグランプリチャンピオンのひこにゃんグッズの売上額の100倍以上，全国に約1100店以上を展開するドトールコーヒーの売上額を上回る金額である。

くまモンは九州新幹線の全面開業を機に熊本県のPRキャラクターとして誕生した。当初は，吉本新喜劇に出演したり，車両を

## くまモンのプロフィール

**2011年3月の九州新幹線全線開業をきっかけに生まれる**

| | |
|---|---|
| 名の由来 | 熊本者（くまもともん）という意味 |
| 性別 | オスではなくて男の子！ |
| 性格 | やんちゃで好奇心いっぱい |
| 特技 | くまモン体操とサプライズを見つけて広げること |
| 仕事 | 公務員，役職は熊本県営業部長兼熊本県しあわせ部長 |
| 経歴 | 2011年「第2回ゆるキャラグランプリ」チャンピオン |

## くまモンの1日 ―2017年5月20日―

〈資料：くまモンオフィシャルHP〉

| | |
|---|---|
| 11:00 | 高雄国際旅行博（台湾高雄市） |
| 11:00 | 大九州展（千葉県柏市） |
| 11:00 | くまモンスクエア（熊本市） |
| 11:00 | 熊本県産品フェア（福岡市西区） |
| 13:00 | 熊本県産品フェア（福岡市南区） |
| 13:00 | ISUIフェスティバル2017（熊本県水俣市） |
| 13:00 | チャリティーフェスひろがる2017（大阪市北区） |
| 13:30 | 第7回 九州の物産展（大阪府高槻市） |
| 14:00 | 大九州展（千葉県柏市） |
| 15:00 | くまモンスクエア（熊本市） |
| 15:00 | 第7回 九州の物産展（大阪府高槻市） |
| 16:30 | チャリティーフェスひろがる2017（大阪市北区） |
| 17:00 | 高雄国際旅行博（台湾高雄市） |

©2010 熊本県くまモン

くまモン一色にする「JRジャック」を行なったり，またSNSやメディアを積極的に活用して話題性や認知度を高めたが，くまモン成功の最大要因は，いわゆる「損して得とれ戦略」だ。通常，キャラクターのイラストやロゴを商用に使うには利用料を支払う必要があるが，くまモンの場合は原則無料なのだ。熊本県や県産品のPRに繋がることという条件があるが，誰でも申請して認可されると，商品のパッケージやグッズに無料でくまモンを利用することができる。そのようなくまモンの商品を購入したり，店頭で見たりした人たちから口コミによって他の人たちに伝えられると,それが熊本を訪れる観光客の増加や県産品の売上増に繋がり,結果として大きな経済効果をもたらすことになる。

ただ，この戦略はくまモンだから可能であって，他の自治体が容易にまねはできない。それは，くまモンには他のゆるキャラにはない魅力があることだ。ゆるキャラの中には手を振って歩いているだけのものがけっこう多いが，くまモンは子どもたちと体操をしたり，AKB48のダンスを踊ったり，動きがユーモラスでキレがあり，これがくまモンの好感度や注目度を高めている。

また，いわゆるご当地ゆるキャラには体の一部に名産品が入っていたり，着ている服がその県の特産品だったりすることが多いが，地域の特色が前面に出ていない黒主体のシンプルなデザインのくまモンは，メーカーにとってコラボ商品を作りやすいのだ。

一過性のブームに終わらず，くまモンもドラえもんやアンパンマンのように,息の長い国民的なキャラクターに成長してほしい。

## 「くまモン」グッズの売上高の推移 〈資料：熊本県〉

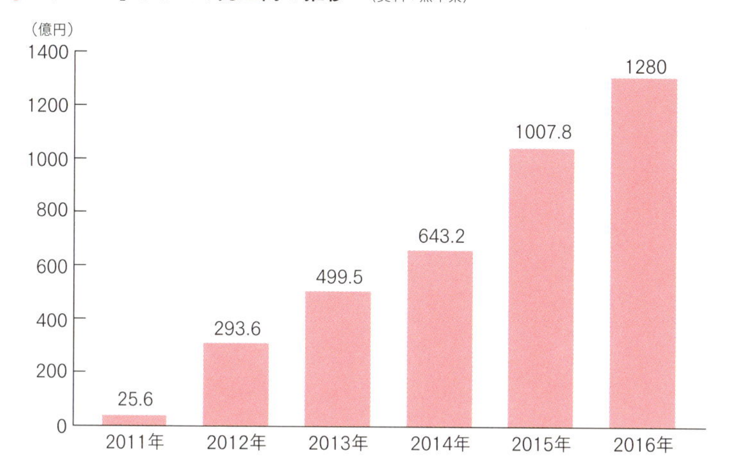


## おもなキャラクターの認知度 〈資料：日本リサーチセンター〉

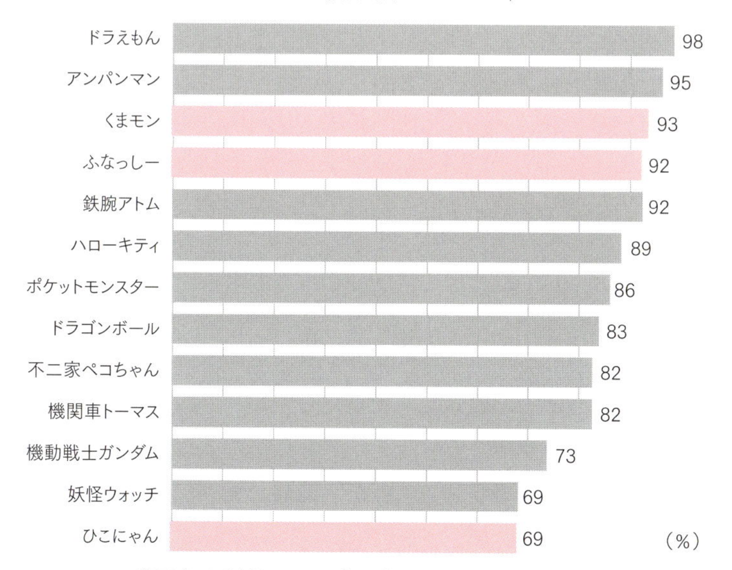


（2015 年 10 月全国の 15 ～ 19 歳の男女 1,200 人について調査　※赤はご当地ゆるキャラ）

# コンビニ1店あたり，1日の客数と売上高

- 日本全国に広がったコンビニ，その魅力は何だろう？
- わずか30坪（100㎡）のコンビニで売られる商品の種類はどれくらい？

▶客数**863人** ▶売上高**53万円** JFA統計

日本の街はどこに住んでも徒歩10分以内に必ずコンビニがあるという。日本フランチャイズチェーン協会（JFA）の統計によると，コンビニは今なお1日に4店ずつ増え続けており，全国各地にある店舗数は2017年には5万5000店に達した。1日のコンビニ利用客は1店あたり863人，全国では1日に約4700万人が利用している。日本人2.7人に1人が毎日コンビニを利用している計算だ。

これだけ多くの人がコンビニを利用する要因はその便利さに尽きる。弁当や新聞・雑誌の販売だけではなく，雨の日の傘や女性のストッキングの伝線トラブルなど突然のニーズにもコンビニは24時間いつでも応じてくれ，コピー，FAX，宅配便，お金の引き出しや送金，乗車券やコンサートのチケットの購入などコミュニティのために必要な様々なサービスを提供してくれる。

一般的なコンビニは，約2,500種類の商品を取り扱っている。ただ，デパートやスーパーに比べるとコンビニは売り場面積が狭いため，商品陳列を徹底的に効率化しており，商品の入れ替わりが早い。曜日，季節，天気，テレビのCM，マスコミの話題，さらに近隣の地域の行事などで，売れる商品，売れなくなる商品は大きく変わり，店はそのような顧客の需要に対応するため，限られたスペースで，品不足や売れ残りがないよう的確な種類と量の商

## コンビニ店舗数・年間売上高・年間来客数の推移

〈資料：日本フランチャイズチェーン協会〉

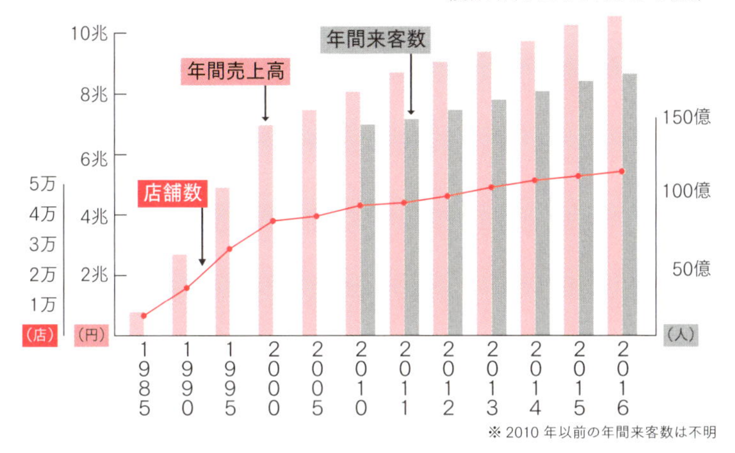


※ 2010 年以前の年間来客数は不明

## コンビニの年間販売額の商品別内訳 (2015)

〈資料：経済産業省〉

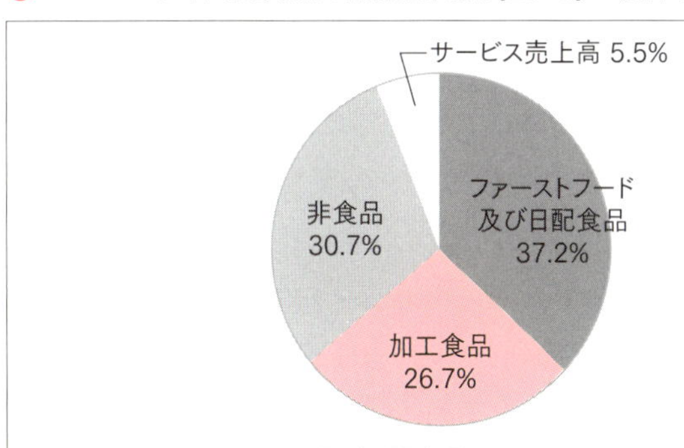


**※ファーストフード及び日配食品**

弁当，おにぎり，パン，果物，調理麺，総菜，牛乳など

**※加工食品**

菓子，ソフトドリンク，酒類，レトルト食品，冷凍食品など

**※非食品**

雑誌，新聞，文房具，タバコ，医薬品，雑貨など

**※サービス売上高**

コピー，宅配便，ギフト券，各種チケットなど

品を提供しなければならないのである。

とりわけ，判断が難しいのは気温や天気との関連性だ。例えば気温が25℃を超えると，アイスクリームの売れ行きが伸び始める。しかし，アイスクリームは暑ければ多く売れるわけではなく，30℃を超えると逆に売れ行きが落ち，かき氷やシャーベットが売れるようになる。おでんは18℃以下になると売れ始める。しかし，前日は暖かかったのが，翌日，急に気温が下がったり，また，実際にはそれほど気温が低くなくても，風が強かったりすると体感温度が下がって，20℃くらいの日でもよく売れる日がある。

暑くなればアイスが売れ，寒くなればおでんが売れるのは誰でも予想できるが，それが何％くらいの売上増になるのか的確な数字で判断をするのは至難の業だ。大手のコンビニは，気象情報会社と契約し，地域行事や生活カレンダーとともに詳細な気象情報を各店に送信し，各店はそれらの情報と過去の販売データを踏まえて商品を発注する。コンビニオーナーの手腕が問われる場面だ。

なお，コンビニの利用者はかつては若者が中心だったが，近年，中高年層の顧客が増えている。人口の高齢化の進行が背景にあることに加え，単身世帯や夫婦のみの世帯が増加し，欲しいときに必要な分だけ少量でも購入できることや，調理済み食品が豊富なことが便利なようだ。タスポの導入もコンビニの顧客層の年齢を上げている。タバコを買うとき街角の自販機でタスポを使うのが煩わしいと，今まではあまりコンビニを利用しなかった中高年の男性がコンビニでタバコを購入するようになり，ついでに新聞や弁当などタバコ以外の商品も購入するようになったのだ。

## 気温変化が売れ行きに影響するコンビニ商品

〈参考：「おもしろい気象情報のはなし」等〉

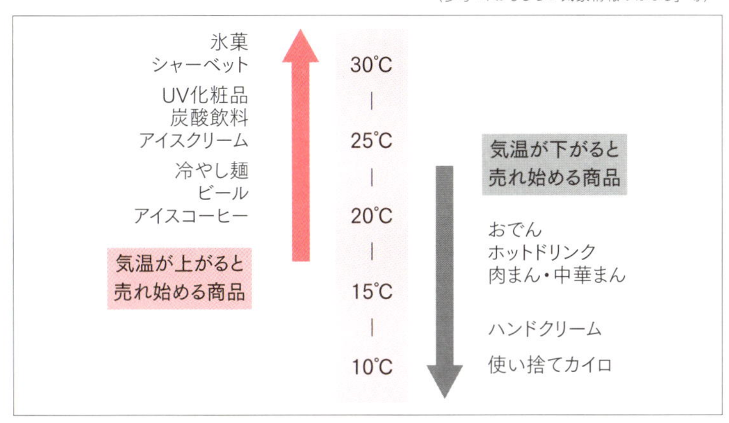


## 大手コンビニの顧客の年齢階層比

〈資料：ガベージニュース〉

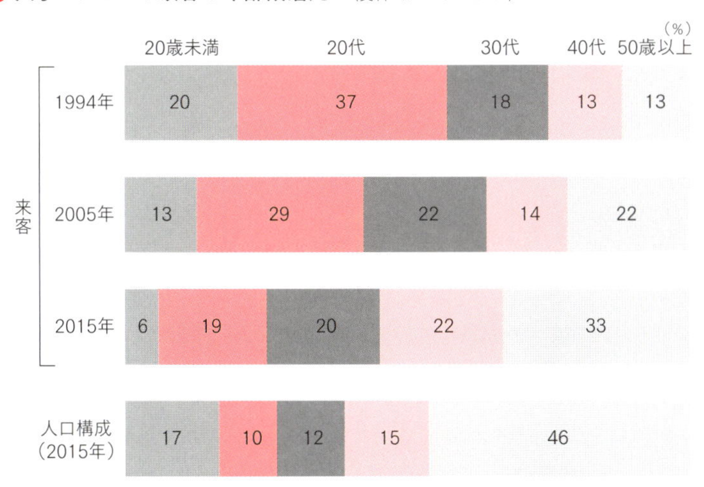


コンビニの利用客は20～40代が中心だが，年々，高齢者の利用が増えている。現在の人口構成から見れば高齢者の比率はまだ伸びる余地があり，今後もますます高齢者をターゲットにした商品を充実させる店舗が増えるだろう。ただ，一方では若者のコンビニ離れが進んでいる。

# 1日に，全国のコンビニで廃棄される食品

- 毎日，なぜ日本では大量の食品が廃棄されるのか？
- 食品廃棄が減らない事情とは？

## ▶約100万食 環境省統計

コンビニで販売される弁当は，天気や気温，曜日，地域の行事などあらゆる情報をもとに，各店がその日の売れ行きを予想して仕入れ数を決める。平均は1店舗あたり150個，そのうちだいたい130個が売れる。予想数より仕入れ数が多いのは，完売を良しとしないコンビニ特有の商法のためだ。商品すべてを売り切って売れ残りがゼロとなれば万々歳に思えるのたが，24時間営業のコンビニの場合，それではその後に来店した客は商品が買えない。売れ残ってもいいから，商品がなくなって棚をカラにしてはならないというのはコンビニ経営の鉄則である。廃棄ロス（売れ残った商品の廃棄で生じる損失）よりも，機会ロス（商品の品切れのために客を逃すロス）を避けることが重視される。

弁当だけではなく，おにぎりや総菜類，サンドイッチなどの調理パンも，棚に並べられている時間はせいぜい半日くらい，それまでに売れなかった商品は，まだ食べられるものでも品質管理のために新しい商品と入れ替えられて廃棄される。

2014年の環境省の調査では，コンビニ1店舗1日あたりの売れ残り食品の廃棄量は約9kg，全国約5万2000店を合計すると約470t，これはFAO（国連食糧農業機関）が定める途上国への食糧支援の基準では，ほぼ100万人分の食糧に相当する。

学校給食の場合も1日あたりの廃棄量は全国で推定325t，途上

## 食品廃棄物はどこから？（2014） 〈資料：農林水産省〉

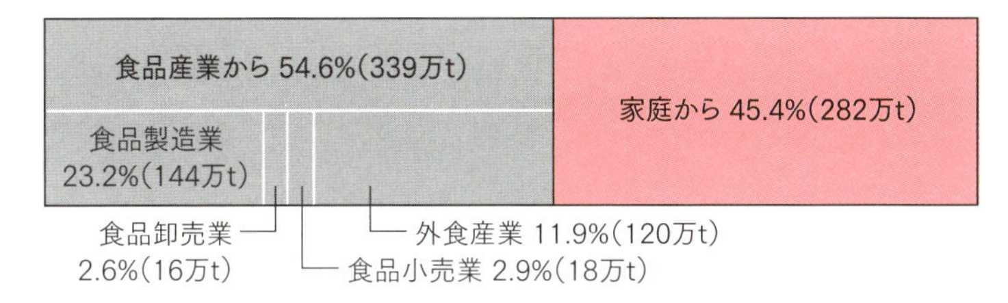


## 食品が廃棄される原因は？ 〈資料：農林水産省〉

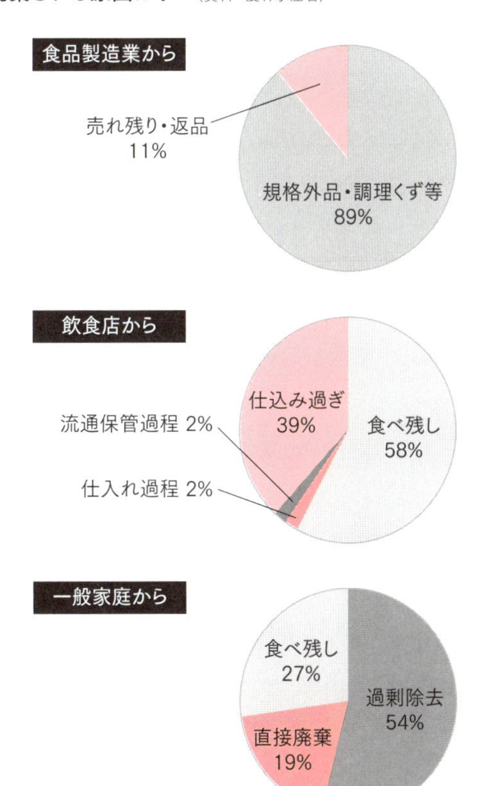

国の65万人分の食糧に相当する。さらに，忘年会などの宴会では出される料理のうち10.7%，結婚披露宴では13.7%，旅館などの宿泊施設では14.8%が食べ残され，廃棄されるという報告もある。

給食の場合，「嫌いなものがある」というのが子どもたちの食べ残しの理由の第1位だが，2位は「量が多過ぎるから」という理由だ。しかし，子どもたちの体格は個人差が大きく，一人ひとりの食事量が違うのは当たり前，食べ残しをなくすためだからといって，給食の量を小柄な少食の生徒に合わせるわけにはいかない。宴会料理や旅館の料理なども同じで，食べ切れない量を出されて不平を言う客はいないが，料理の量が少なければ不満が噴出し，いくら食べ残しが減らせても，それではその料亭や旅館の評判はガタ落ちし，客は激減するだろう。

最近，披露宴や宴会では，料理の内容を事前に打ち合わせて，利用者の意向に見合った料理を提供するところが増え，食べ残しが減りつつある。しかし，それが行なえない宿泊施設の場合はますます料理は豪華になり，食べ残しが増えているのが現状だ。学校給食も，誰もが自分に合った量の給食をとることができれば理想的なのだが，一律の給食費で食事量の差を設けることはできず，バイキング方式を試みている学校もあるが，それでは子どもたちは好きなものしか食べず，栄養のバランスがとれない。

ノーベル平和賞を受賞したケニアのマータイ女史は，日本語の「もったいない」という言葉を世界に広めたが，食品廃棄を減らすには，このもったいない精神を忘れないことが何よりも大切だ。

## 廃棄された食品はどこへ？ 〈資料：農林水産省〉

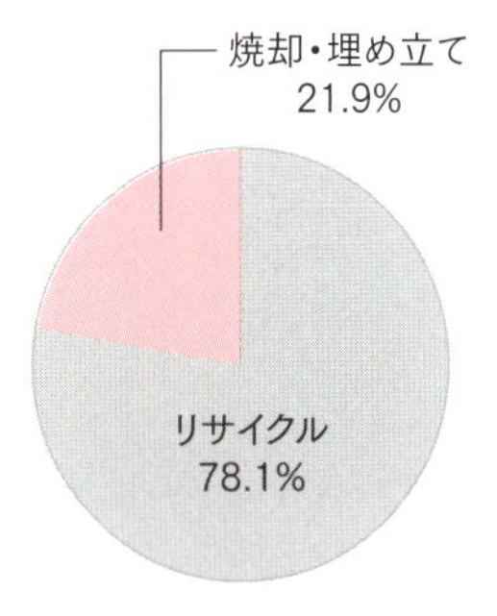


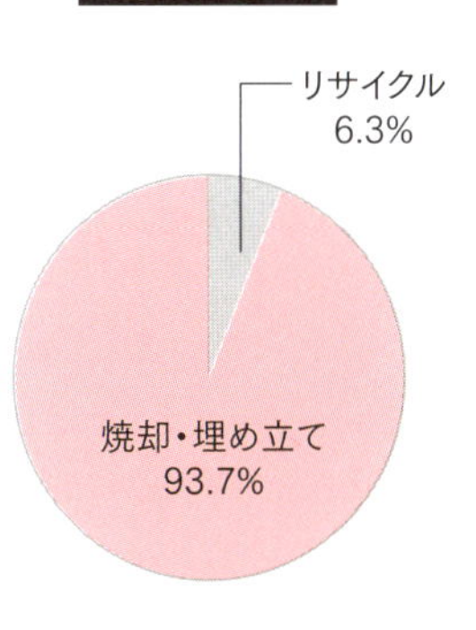


※事業系廃棄物リサイクルの内訳

| | | | |
|---|---|---|---|
| ・飼料化 | 70.0% | ・肥料化 | 18.5% |
| ・エネルギー化 | 8.1% | ・熱回収 | 3.4% |

## 食品廃棄を減らすには

食品廃棄量の削減と食品リサイクルの推進のため，国や自治体，企業は様々な政策に取り組んでいる。農林水産省食料産業局は，その１つの目安として次のような提言をしている。

**製造業**

○需要予測精度向上
○製造ミス削減
○賞味期限延長・年月表示
○期限設定情報開示

**外食産業**

○需要予測精度向上
○調理ロス削減
○小盛りサービス
○持ち帰り（自己責任）

**小売業**

○需要予測精度向上
○売り切り
○小容量販売
○バラ売り

**家庭**

○冷蔵庫・家庭内の在庫管理
○計画的な購入
○食べ切り・使い切り
○期限表示の理解

# 1日に，全国でリサイクル回収されるアルミ缶

- アルミ缶など国内の資源リサイクル率はどれくらい?
- アルミ缶が"リサイクルの優等生"と呼ばれるわけは?

## ▶5640万缶

アルミ缶リサイクル協会統計

1970年代に初めて缶ビールが発売され，以来，自販機の普及もあってアルミ缶の需要は大きく飛躍した。アルミ缶には，軽量であること（鉄の3分の1），熱伝導率が高いこと（鉄の2.5倍），さびにくいことなど多くの特性があるが，中でも注目したいのは優れたリサイクル性である。2016年，日本では224億缶のアルミ缶が製造されたが，そのうち約92%にあたる過去最大の206億缶が再生利用のために回収された。1日あたりに換算すると5640万缶，これは全国の世帯数5340万とほぼ同数であり，つまり日本の全家庭から毎日1缶ずつがリサイクル回収されていることになる。

日本は，アルミ缶に限らず，スチール缶やペットボトルなどの回収率も高く，世界でもトップ水準のリサイクル先進国である。そんな中，アルミ缶は，省エネ・省資源・生産コストなどのリサイクル効率が抜きん出て"リサイクルの優等生"と呼ばれている。

アルミは，原料であるボーキサイトから新たに生産すると，新地金1tにつき，一般世帯の使用電力の25年分に相当する3.1万kWhという大量の電力が必要だが，使用済みアルミ缶をリサイクルすれば，再生地金1tにつき必要なエネルギーはわずか1,000kWh，新地金のたった3%で済み，実に97%のエネルギー節約になる。新地金より再生地金のほうが生産コストは断然低く，

## アルミ缶リサイクル実績の推移 〈資料：アルミ缶リサイクル協会〉

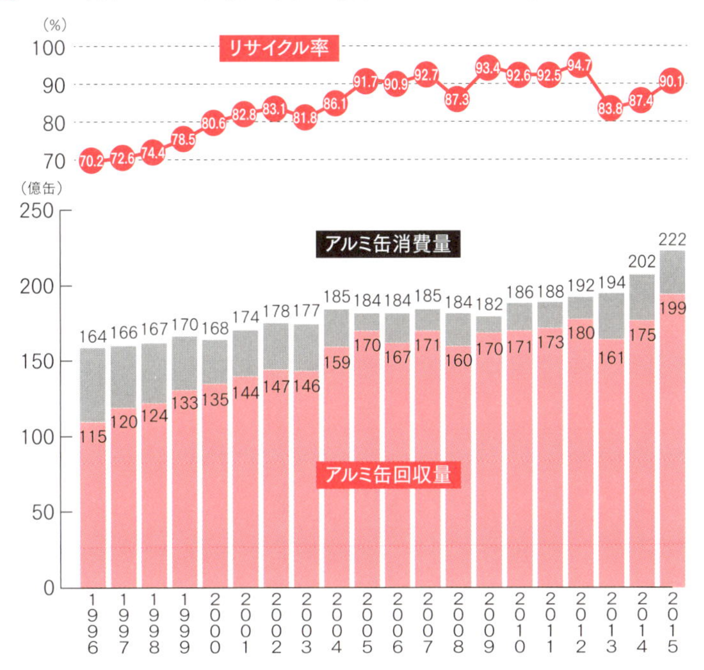


※リサイクル率は缶の数量ではなく，重量で産出する。
※ 2013 年からのリサイクル率低下は回収缶の一部が海外へ輸出されたため。

## 国内の資源リサイクルの実績 〈資料：スチール缶リサイクル協会等〉

さらに，日本は電力料金が海外より高いこともあって，バブル期以降，各地の精錬工場は次々と操業を停止し，現在はボーキサイトからの新地金の生産は国内ではまったく行なわれていない。

スチールの場合も，スチール缶をリサイクルすれば，原料である鉄鉱石から新しく生産するより75％のエネルギー節約になる。しかし，アルミの原料であるボーキサイトに比べ，鉄鉱石は埋蔵量が豊かで産出量が多く，市場価格も安いため，スチールは原料からでも低コストで生産できる。さらに再生スチールは強度が落ちるため，自動車や家電製品などの用途には使えないなどの弱点がある。スチール缶のリサイクルには，リサイクルコストの低減や再生スチールの品質の向上などクリアすべき課題がまだ多い。

ペットボトルの場合はさらに状況は厳しく，行政の指導や法整備でリサイクルは進んではいるが，アルミ缶やスチール缶よりもリサイクルコストがかさむため，採算を確保するのが難しい。

日本では，リサイクル資源の回収は自治体が行なう行政回収より，子ども会や自治会，学校などによる集団回収がさかんである。回収した資源は民間業者が引き取るが，そのおおよその買い取り価格（2017年）は，アルミ缶が70～130円／kg，スチール缶が10～20円／kg，ペットボトルが0～10円／kgで，いくら集めてもアルミ缶以外は収益率が低く，集団回収は回収量に応じて自治体から給付される報奨金で成り立っているのが実情である。今後のリサイクル事業の推進のためには，リサイクルコストをいかに削減して収益率を高めるかが重要な課題だが，「混ぜればごみ、分ければ資源」である。多くの人がリサイクルの意義を理解し，賛同することも不可欠だ。

## アルミ缶のリサイクル

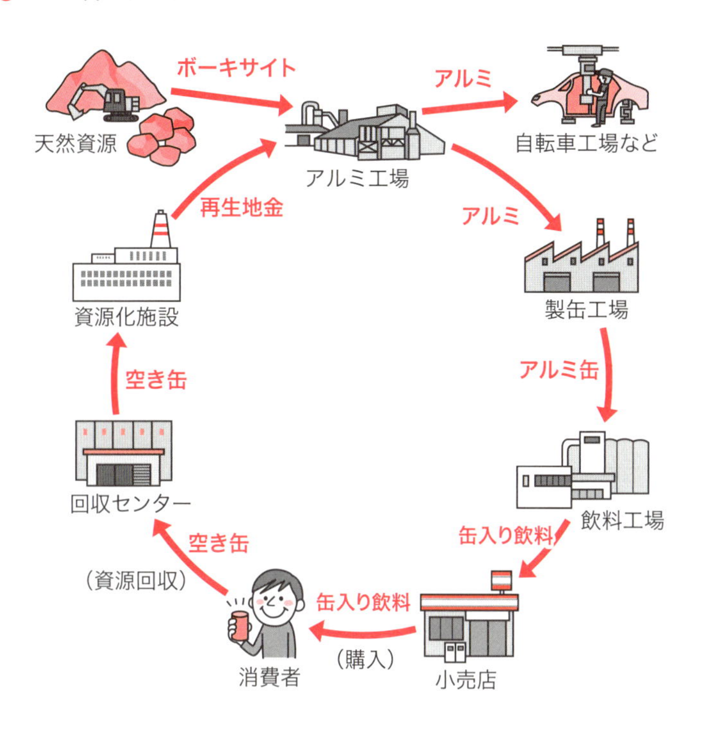


CAN to CAN

アルミ缶はリサイクルによってアルミ缶へ何度でも生まれ変わることができる。回収されたアルミの缶から再生地金が作られ，その約30%が自動車部品などに，約70%がアルミ缶に加工される。使用済のアルミ缶を新しいアルミ缶に再生することは，資源の有効利用や地球環境保全にとっても大きな意義がある。

# 1日に，全国の自販機で販売されるドリンク

- 国内には24人につき1台，約500万台の自販機がある。
- 日本が世界一の自販機大国になったワケは？

## ▶約4200万本

日本自動販売システム機械工業会統計

ラテアートが楽しめるカプチーノ，願い事を書くための絵馬，富山特産のシロエビ茶漬け，これらは羽田空港内の自販機で販売されている商品である。日本では本格的サイフォンコーヒーはもちろんハンバーガーやおでんなど，ありとあらゆる商品が自販機で購入できることは今や外国人の間でも知られているが，京都では阿修羅像や千手観音像など仏像の自販機まであるという。

日本国内にある自販機の総数は約500万台，これは国民24人に1台，日本は世界一の自販機大国といっても過言ではない。販売商品別では，清涼飲料水やコーヒーなどドリンク類が半数を占め，1日あたり500ccペットボトル換算で約4200万本が自販機で販売されている。他の商品も含めると，全国で自販機による売上総額は1日あたり134億円，ダントツの世界一である。

海外でも空港などでは自販機は見かけるが，街へ出ると日本に比べ自販機の数や種類は少ない。なぜ日本だけに，これだけ多くのの自販機があるのだろうか。

理由の第一は，日本の治安の良さである。日本へ来て「なぜ自販機が盗まれないのだ」と不思議がる外国人がいるそうだが，アメリカでは日本のように自販機が街頭に並ぶことはない。屋内に設置するのが一般的で，ヨーロッパでは美観を守るため，街頭に自販機を設置することを禁止している都市もある。

## 日本の商品別自販機普及台数 (2015) 〈資料：日本自動販売システム機械工業会〉

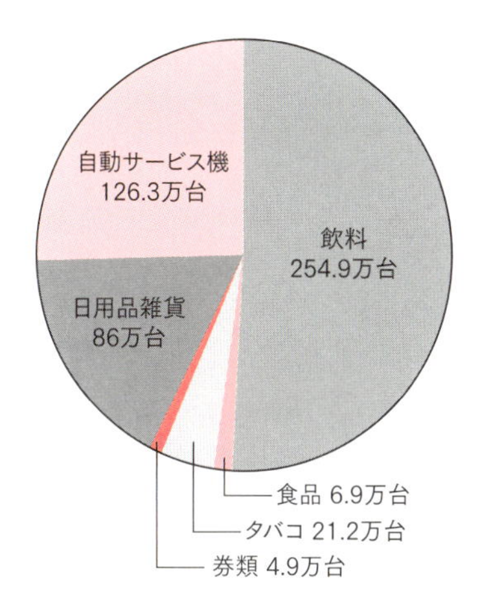


## 商品別年間自販機売上金額 (2015) 〈資料：日本自動販売システム機械工業会〉

※商品の内訳
・飲料は8割が清涼飲料，あとはコーヒー類，牛乳，酒類など
・券類は7割が乗車券，あとは施設入場券，外食産業食券など
・日用品雑貨は，新聞，雑誌，切手，乾電池，カード類など
・自動サービス機は，コインロッカー，精算機，両替機，各種貸出機など

第二に，日本の人口密度が高いことも大きな要因だ。駅などの公共施設や繁華街はもちろん，一般住宅地や道路沿いでも人通りが多いため，十分に採算が見込める設置場所が多い。

第三は，日本の高い技術力である。パリの自販機はお金を入れてボタンを押しても反応なし，お釣りが出てこないことは日常茶飯事，トラブルが多いために市民は自販機をあまり信用していないという。また，海外の自販機は，日本の自販機のようには紙幣をきちんと識別しないため，中国や韓国などのように貨幣よりも紙幣の流通がさかんな国では自販機の普及が遅れている。

第四は日本の湿潤気候である。日本では夏に自販機の売上が最大になるが，欧米の夏は日本ほど蒸し暑くなく，飲料の需要が日本に比べかなり低い。

しかし，そんな日本の自販機文化に変化が現れている。国内の自販機台数，自販機売上金額ともピークは2005年で，その後はどちらも漸減が続き，2015年まで台数は1割，自販機売上金額は3割も減っているのである。その間に店舗数を増やしてきたコンビニとの競合や，タスポの導入によってタバコ自販機が激減したことがおもな要因だが，さらに，今まではオフィスビルや工場・工事現場など事業所内に設置され，安定した顧客と売上があった自販機が，景気の後退による人員減少や労働時間短縮のために売上を減少させているのである。今は過渡期を迎えている日本の自販機文化だが，5年後10年後にはどのようになっているのだろうか。

## 自販機普及台数と売上金額の推移 〈資料：日本自動販売システム機械工業会〉

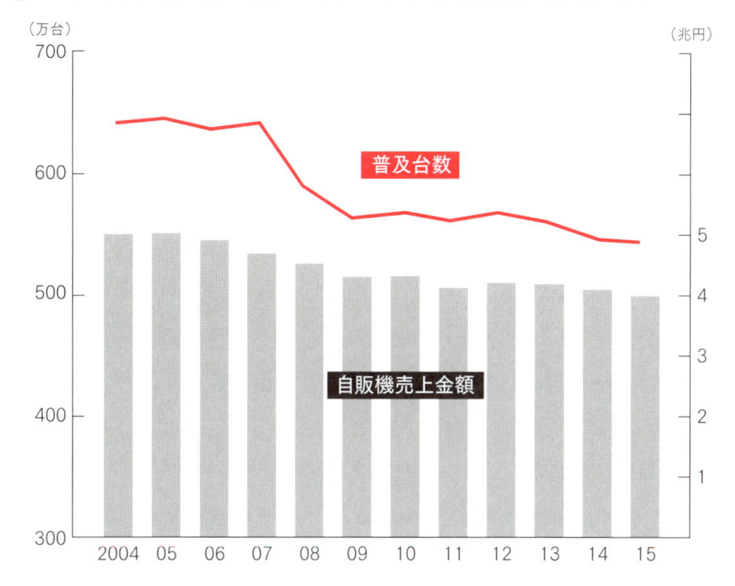


## 日本人の自販機利用頻度 〈資料：マイボイスコム株式会社〉

―直近１年間に自販機でソフトドリンクをどのくらい購入したか―

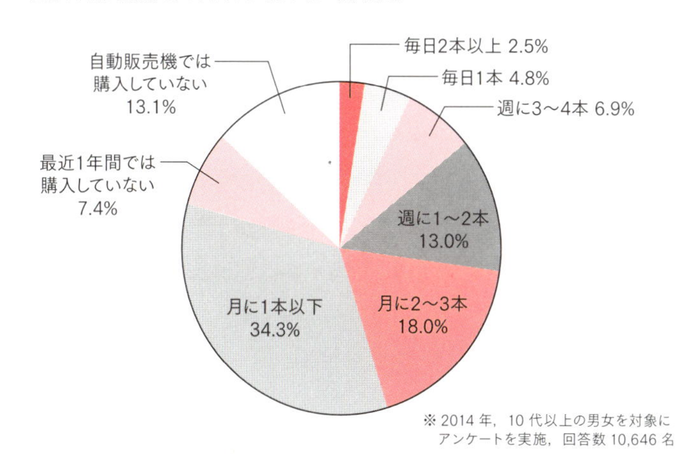


※ 2014 年，10 代以上の男女を対象にアンケートを実施，回答数 10,646 名

# 1日に，日本で出版される本（新刊）

- 年々，本が売れなくなっている。いったいなぜ？
- それでも新刊本がどんどん発行される出版業界の事情とは？

## ▶205点 出版指標年報

2016年，国内約3,400の出版社から7万5039点の新刊書が出版された。1970年頃の3.5倍である。一方，書籍と雑誌の年間販売部数は，1995年の48億部をピークに長期的な凋落傾向が続いており，2016年は19億7759万部と20億部を割り込み，ついに1970年の販売部数を下回った。

本が売れなくなったのは，様々な要因が考えられるが，インターネットやスマホとの競合がよく指摘される。電車の時刻や料理のレシピ，わからない漢字や言葉の意味を知りたいとき，ネットを利用すれば，時間をかけずに，しかもタダで調べることができ，わざわざ書店へ出向き，時刻表や料理本などを買わなくて済む。

活字離れが進み，本が読まれなくなったからだと指摘する人もいる。ただ，2016年，全国の図書館数は3,280館，年間の図書館利用者は延べ1.8億人，図書館数は1970年の1.6倍，利用者は約14倍に増加している。また，書店の販売額は減っているが，ネット通販や古書店で本を買い求める人が増えている。スマホを新聞や本の代わりに利用する人も多く，必ずしも活字に接することが少なくなったわけではない。今の時代は活字との接し方が多様化しているという見方が正しいのではないだろうか。

しかし，販売部数が激減しているにもかかわらず，新刊の発行点数が増加しているのはなぜだろうか。通常，出版社は新刊本を

## 新刊発行点数の推移 〈資料：出版指標年報〉

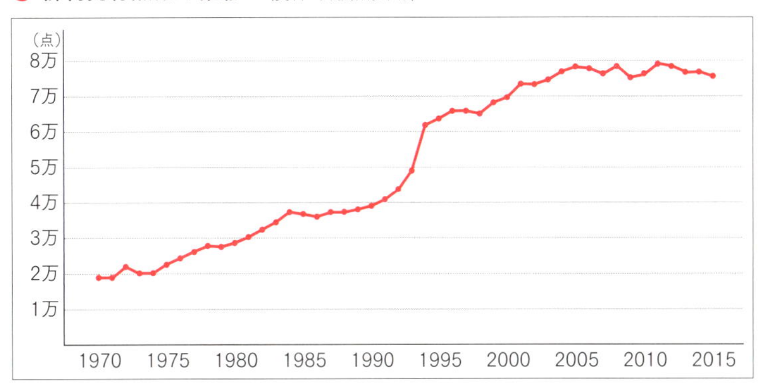


## 書籍・雑誌推定販売部数の推移 〈資料：出版指標年報〉

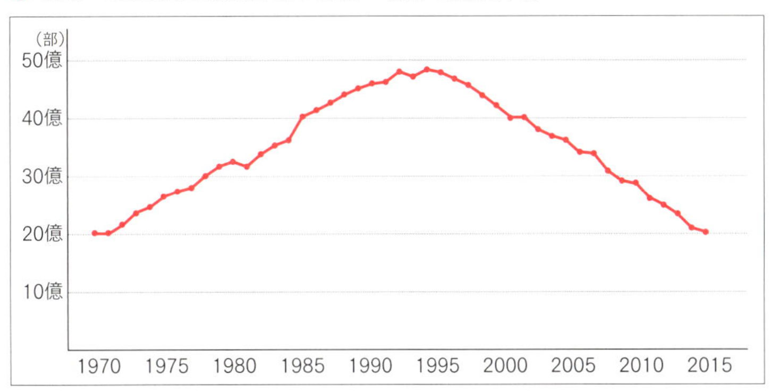


## 公共図書館数の推移 〈資料:国勢図会〉

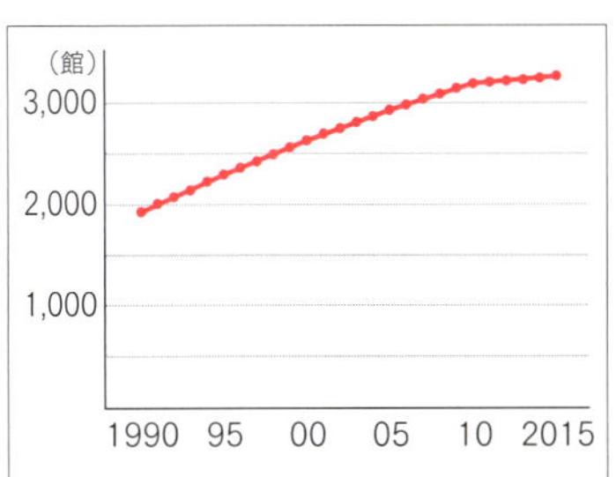


## 書店数の推移 〈資料：図書館年鑑〉

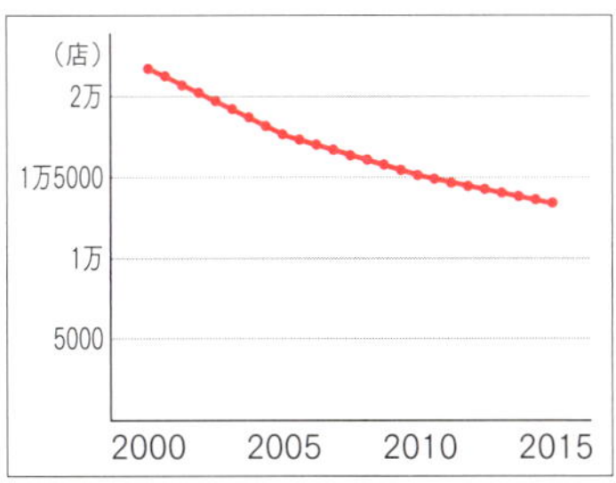

“取次”と呼ばれる流通業者に納品し，取次は書店から注文を受けていなくても見計らいで部数を決めて各書店に配本し，販売を委託する。しかし，国内で出版される新刊の数は1日あたり200点以上，新刊本を次々送られてきても，書店では売り場面積に限りがある。新刊売り場や平台に置かれる本もあるが，とりあえず1冊だけ棚差しという場合もあり，通常，新刊本は1カ月ほど様子を見て売れない場合は出版社に返品されることが多い。搬入されても店頭に並べられずにそのまま返品されることもあるという。書店は一定期間内ならば，売れなかった本を仕入値で返品することができ，2016年の返品率は36.9%にものぼる。

それでも，新刊の発行点数が多いのは，出版社は新刊を取次に納品さえすれば，とりあえずその代金が入ってくるので，販売部数の減少を新刊を増やすことでカバーしようとしているからである。しかし，本来，本は長期的なメディアであり，それが本の価値であるはずだ。短期の売上だけを狙った消耗品のような本が粗製乱造されるようになると，本の寿命が短くなり，質も低下する。本にも需要と供給の関係があり，過剰な新刊の出版は，出版社の経営を圧迫し，ひいては出版業界全体を疲弊させてしまう。

その一方，日本より一足早く電子書籍が普及した欧米では，今また本が売れている。万事がデジタル化された日常の中で，手で触れ，指先でページをめくる紙の本に，若い世代が温かみや安らぎを見出し，イギリスでは2016年の書籍販売額は前年より約7%増加したという。パソコンやスマホ，本にはそれぞれ異なる特性があるはずだ。これからもわくわくする本に多く出会いたい。

## 平成のベストセラー 〈資料：出版指標年報〉

| | |
|---|---|
| 1989年 | 『TUGUMI』吉本ばなな |
| 1990年 | 『愛される理由』二谷友里恵 |
| 1991年 | 『SantaFe』宮沢りえ・篠山紀信撮影 |
| 1992年 | 『それいけ×ココロジー』それいけ!!ココロジー編 |
| 1993年 | 『人間革命』池田大作 |
| 1994年 | 『日本をダメにした九人の政治家』浜田幸一 |
| 1995年 | 『遺書』松本人志 |
| 1996年 | 『脳内革命』春山茂雄 |
| 1997年 | 『ビストロスマップ完全レシピ』ビストロスマップ制作委員会 |
| 1998年 | 『新・人間革命』池田大作 |
| 1999年 | 『五体不満足』乙武洋匡 |
| 2000年 | 『だから，あなたも生き抜いて』大平光代 |
| 2001年 | 『チーズはどこへ消えた？』スペンサー・ジョンソン |
| 2002年 | 『ハリーポッターと賢者の石』他，シリーズ3作品，J.K. ローリング |
| 2003年 | 『バカの壁』養老孟司 |
| 2004年 | 『ハリーポッターと不死鳥の騎士団』J.K. ローリング |
| 2005年 | 『頭がいい人，悪い人の話し方』樋口裕一 |
| 2006年 | 『国家の品格』藤原正彦 |
| 2007年 | 『女性の品格』坂東眞理子 |
| 2008年 | 『ハリーポッターと死の秘宝』J.K. ローリング |
| 2009年 | 『IQ84』村上春樹 |
| 2010年 | 『もし，高校野球のマネージャーがドラッガーの「マネジメント」を読んだら』岩崎夏海 |
| 2011年 | 『謎解きはディナーのあとで』東川篤哉 |
| 2012年 | 『聞く力―こころをひらく35のヒント』阿川佐和子 |
| 2013年 | 『医者に殺されない47の心得』近藤誠 |
| 2014年 | 『人生はニャンとかなる！』水野敬也・長沼直樹 |
| 2015年 | 『火花』又吉直樹 |
| 2016年 | 『天才』石原慎太郎 |

# 1日に，119番通報で救急車が出動する回数

- 1年間では，国民23人に1人が救急車で搬送されている。
- しかし，救急搬送のうち，2人に1人は軽症者だ。

消防庁統計

## ▶約1万7000回（5.2秒に1回）

1931年に大阪で日本赤十字社が自動車を傷病者の搬送に使用したのが，日本における救急車の始まりとされている。現在のように救急車が全国の消防署に配備され，24時間態勢で救急出動が可能になったのは1963年の消防法改正以降のことで，現在は，全国に約6,200台，人口約2万人に1台の割合で救急車が配備されている。2016年の救急車の出動件数は約621万件，1日平均では約1万7000件，1年間に全国民の23人に1人が搬送されたことになる。

出動件数を事故種別で見ると，50年前には交通事故がおよそ3分の1を占めていたが，交通安全対策の推進により，2016年にはそれが1割弱にまで減少し，現在は，急病が全体の3分2近くを占めている。年齢別の搬送人員の割合を見ると，65歳以上の高齢者が増え続けており，高齢社会と密接な関係があるようだ。

ただ，救急搬送の内訳を見ると，重症者は1割に満たず，初診医師が入院加療の必要なしと判断した軽症者が全搬送者の約半分を占めている。軽症者が安易に救急車を要請するケースが多いのが，全国どこの自治体でも悩みの種となっている。「歯が痛いから」「水虫がかゆいから」「シャワーの水が耳に入ったから」という理由も信じがたいが，「子どもが膝をすりむいたが，救急車で行けば優先的に治療してもらえるから」とか「病院へ行くのにタクシー

## ● 救急出動件数と搬送人員の推移 〈資料：消防白書〉

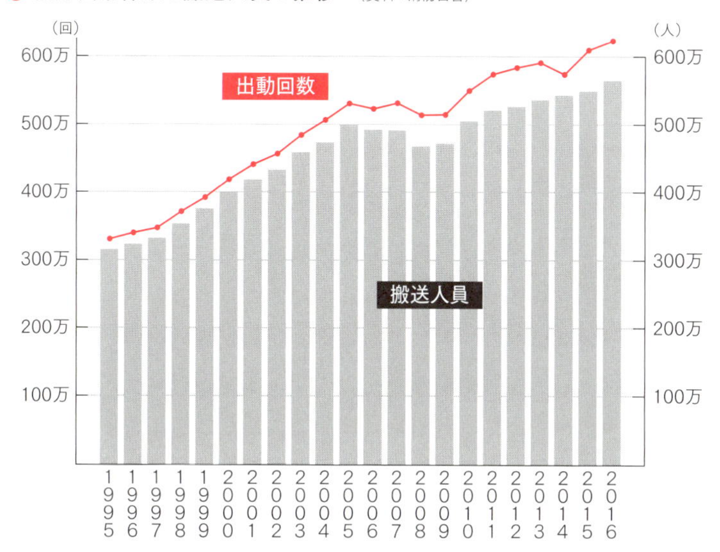


## ● 事故種別救急出動の割合 〈資料：消防白書〉

| | 急病 | 交通事故 | 一般負傷 | その他 |
|---|---|---|---|---|
| 1989年 | 48.8% | 24.3% | 11.4% | 15.5% |
| 2008年 | 60.9% | 10.9% | 13.7% | 14.5% |
| 2016年 | 64.0% | 7.9% | 14.9% | 13.2% |

## ● 搬送人員の年齢別割合 〈資料：消防白書〉

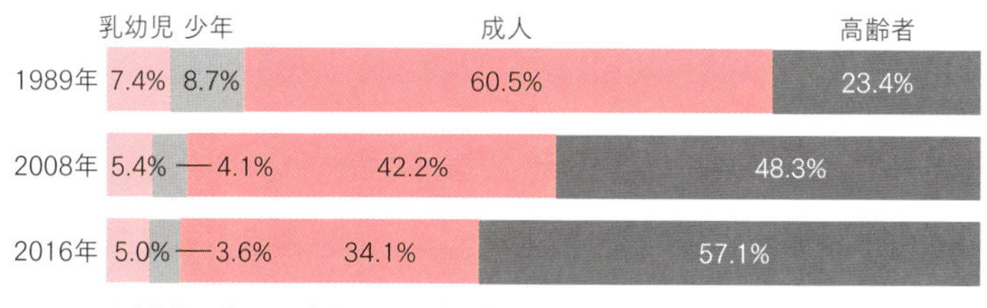


※乳幼児：6歳以下　少年：7～17歳　成人：18～64歳　高齢者：65歳以上

を呼ぶとお金がかかるが，救急車ならタダだから」とかいう身勝手な理由で救急車を呼ぶ人もいる。

このような状況が続けば，本当に救急搬送が必要な人への対応が遅れることにもなりかねない。また，救急車は1回出動すると，人件費・整備費・ガソリン代等の経費が4万～5万円かかるとされるが，当然，これらは税金で賄われており，地方財政が苦しい中でこのことは全国の自治体の大きな負担となっている。

不要不急の出動を減らし，年間2兆円にものぼる消防関連の経費を削減するため，2015年，財務省の諮問機関が救急車の一部有料化を検討することを提言した。ちなみに，海外では救急車の要請は有料となる国が多い。また，無料が原則の国でも，日本では救急要請が拒否されることはないが，シンガポールやスウェーデンでは，軽症の場合は有料であり，イギリスでも，要請があっても病院に運ぶかどうかは救命救急士が判断する。また，搬送費を医療費に含めて，任意保険の対象としている国もある。

2015年にYAHOO! JAPANが約17万人を対象に実施したアンケート調査では，日本もすべて有料化がよいと回答した人が約20%，救急を要しない場合は料金を払わせるべきと回答した人が約60%，8割以上の人が有料化に賛成という結果が出た。しかし，有料にすると，ホントに重症なのに本人や周りの人が救急要請をためらって病状を悪化させたり，お金を持った人が「金さえ払えば文句ないだろう」とタクシー代わりに使ったりする可能性がある。このようなケースは，実際に海外では見られるという。有料化には功罪が多く，今後の議論にはまだまだ紆余曲折があるだろう。

## 救急搬送の症状別割合（2016）〈資料：消防白書〉

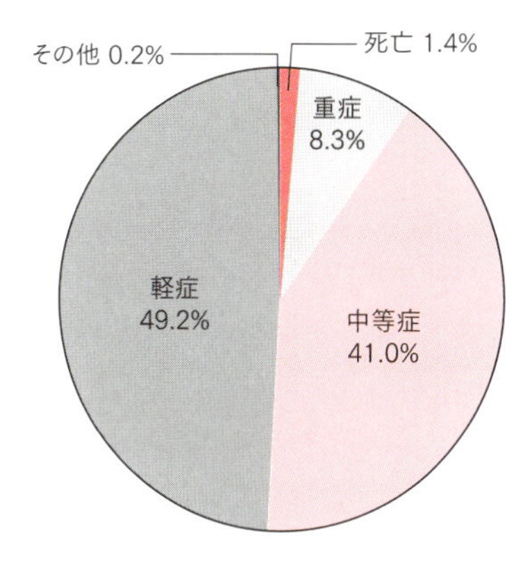


## 世界の主要国の救急料金〈資料：外務省等〉

**アメリカ** 官営と民営があり，料金は地域により異なる。
ロサンゼルス…約 45,900 円，ニューヨーク…約 27,000 円など

**フランス** 基本料金約 7,500 円に 1kmあたり約 250 円走行料金を加算し，救急車には医師が同乗する。

**イギリス** 無料だが，救急救命士の判断に従って搬送する。

**スウェーデン** 無料が基本だが，救急車を必要としない場合やイタズラの場合は，罰金が科せられる。

**シンガポール** 事故の場合は無料，病気の場合は約 13,600 円。

**中国** 料金は地域により異なる。料金先払いの場合がある。ペキンでは 3km まで約 830 円，その後は 1kmあたり約 115 円を加算。

**オーストラリア** 料金は地域により異なる。50km以内は約 97,000 円，その後は 1kmあたり約 1,360 円を加算する。

# 1日に，全国の警察本部が受理する110番通報

- 通報受理から現場到着まで6分57秒，110番はどのようなしくみなのだろうか？
- 通報の2割は緊急性なし，110番の実態は？

警察白書

## ▶約2万5300件（3.4秒に1件）

日本で110番制度ができたのは戦後間もない1948年，東京，名古屋，京都，大阪など8都市でスタートした。ただ当初は，東京では110番だったが，名古屋は118番，京都や大阪は1110番というように都市によって番号がまちまちで，これではまずいということになり，1954年に110番に統一された。番号を110に決めたのは，覚えやすく使いやすいことを考慮し，当時のダイヤル式電話でダイヤルを回す距離が1番短い“1”を2回，あと1回は誤りを防ぐために回す距離が1番長い“0”を使うことにしたからだそうだ。110番は世界共通ではないが，海外でも中国，インドネシア，ドイツなどは110番を使っている。

110番に通報すると，電話は通報場所を管轄とする警察本部に設置された通信指令室に接続される。通信指令室では通報者から事件や事故などの内容を聞きながらその情報を直ちにコンピュータに入力し，現場からもっとも近い警察署や現場付近を警ら中のパトカーなどに無線指令を行ない，警察官を急行させたり，検問などを行なうよう緊急配備を発令したりする。110番通報を受理してから警察官が現場に到着するまでの時間をレスポンス・タイムというが，全国平均では6分57秒となっている。

警察庁の統計によると，2015年，全国の警察署が受理した110番通報は年間922万8841件，1日あたりでは2万5284件，3.4秒

## 全国の110番通報件数の推移 〈資料：警察白書〉

(万件)

| | 固定電話から | 携帯電話から | 計 |
|---|---|---|---|
| 2005年 | 385.3 | 554.0 | 939.2 |
| 2006年 | 361.5 | 553.0 | 914.5 |
| 2007年 | 339.9 | 558.2 | 898.1 |
| 2008年 | 325.6 | 566.8 | 892.3 |
| 2009年 | 323.6 | 580.7 | 904.3 |
| 2010年 | 317.6 | 613.4 | 930.9 |
| 2011年 | 315.9 | 621.3 | 937.2 |
| 2012年 | 304.2 | 631.2 | 935.4 |
| 2013年 | 304.5 | 637.0 | 941.5 |
| 2014年 | 295.9 | 639.1 | 935.1 |
| 2015年 | 277.6 | 645.2 | 922.9 |

## 110番通報の内容（2016） 〈資料：愛知県警HP〉

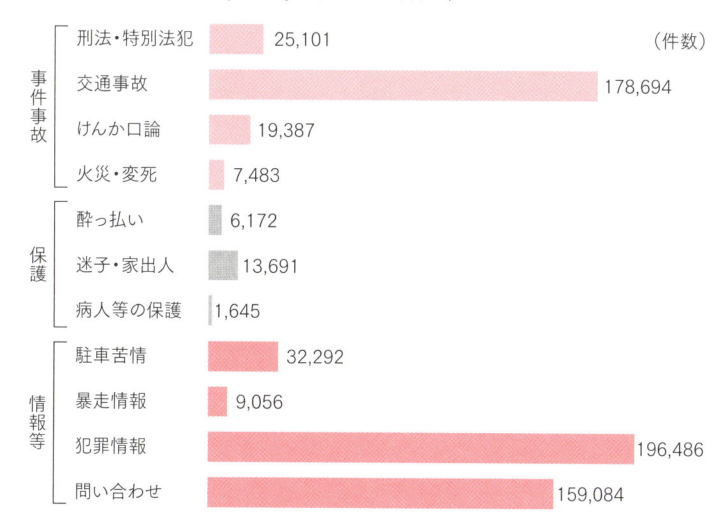

に1件である。街中で起こる事故や事件を警察が認知するのは，一般市民からの110番通報がもっとも多く，市民からの通報によって事件が未然に防げたり犯人逮捕に繋がったりすることも多い。

ただ，どのような通報であっても，警察は必ず現場確認に急行するのが原則だが，事件や事故に無関係の緊急性がない通報も多い。「ずっと待っていても信号機が青に変わらない（感知器より手前で車を停止させていたため）」「女の子の写真と本人が全然違う。あの店は悪質風俗店だ」というような通報は論外だが，本人には悪意はなくても，同じ方向に歩いていただけの人を「気持ち悪い人に後を付けられた」など被害妄想的な通報や，「長期旅行中，自宅付近のパトロールをしてほしい」とか，「転居したが，免許証はどうなるのか」「駐車違反で迷惑している」など依頼や相談も多い。「血を流した人が倒れている」とウソの通報をしてパトカーが来るのを楽しむ悪質なイタズラ電話もある。110番は通報者が電話を切断しても受理台が回線を開放しなければ接続が保持され，呼び返しや逆探知が可能で，目に余るイタズラ電話を繰り返して虚偽申告で毎年全国で数十人が検挙されるという。

緊急でない通報は本来の緊急事態の対応への障害となる。悪質商法やストーカー被害，子どもの非行など警察に相談したい場合のホットラインとして“#9110”が設定されているが，残念ながらこの番号を知らない人がまだ多い。もっとも，夜間や土日だと対応してもらえない場合もあり，“#9110”をもっと浸透させるにはPRも重要だが，24時間対応も必要であろう。

## 110 番通報のしくみ

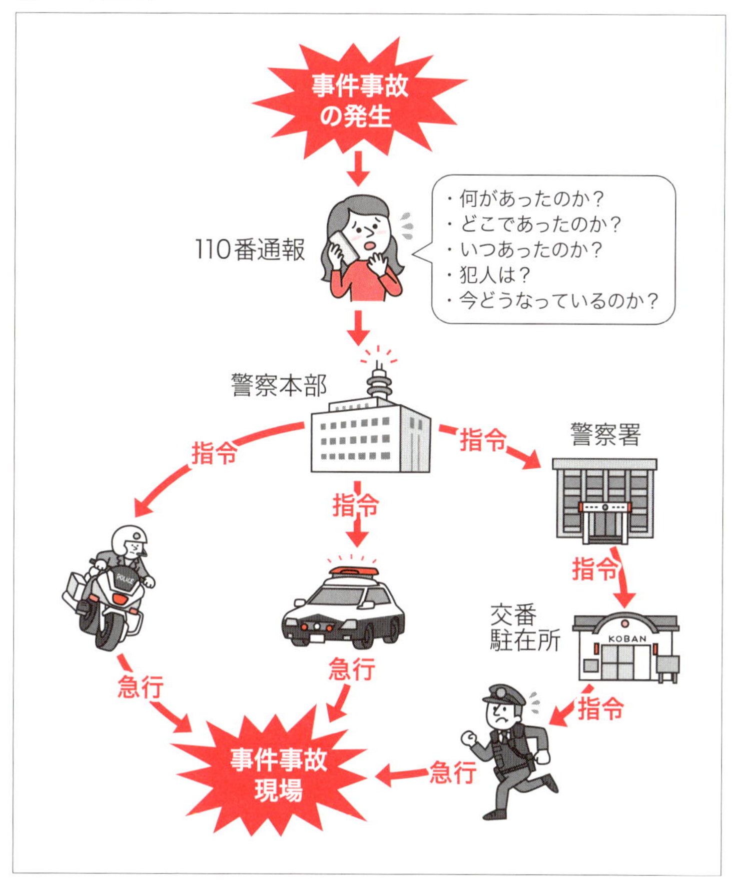


全国の警察は，聴覚や言語に障害のある方が事件や事故に遭ったときの緊急通報手段として“メール 110 番”や“FAX110 番”を開設している。ただ，アドレスが各自治体ごとに違っており，通信料金もかかる。もっと簡単に活用できるよう改善が求められる。

# 1日に，日本で発生する殺人事件の被害者

- 殺人事件が多い国と少ない国にはどのような事情があるのか？
- 日本で殺人事件が減ったワケとは？

## ▶0.79人 警察庁統計

バッグを肩から下げていても奪われないし，交差点で停車しても強盗に襲われない。夜道を1人で歩いても危険じゃない。ある報道機関の調査で，日本在住の外国人が日本のよい点として第1位に挙げたのはこのような日本の治安の良さである。

人口10万人あたりの犯罪発生率をアメリカと比較すると，殺人は13分の1,強盗は25分の1,麻薬犯罪は57分の1にすぎず,ヨーロッパでは比較的治安がよいとされるドイツと比較しても，殺人は3分の1，強盗は24分の1，麻薬犯罪は13分の1である。日本の治安は世界一優秀であるといっても過言ではないだろう。

2016年，もっとも凶悪な犯罪である殺人事件の被害者となった人は，日本は289人，1日あたり0.79人で2013年以来1人を下回っている。人口10万人あたりの殺人発生率は0.23人で，世界の中でほぼ最下位に近い。殺人発生率世界一は中米のエルサルバドルで人口10万人あたり108.6人で，この国で殺人の被害者となる確率は，日本で，がん治療のために医療施設に入院する確率とほぼ同じである。殺人は先進国に比べ，発展途上国で発生率が高く，その大きな原因とされるのは貧困と銃である。エルサルバドルなど貧富の差が大きい中南米の国々では，スラムに住む貧民層の人々が生きていくためには犯罪に手を染めるか，麻薬を売るか，国を出るしかないといわれている。銃の所有は合法化されて

## ● 人口10万人あたり殺人事件の被害者数（2015）〈資料：国連犯罪調査統計〉

―205の国と地域について調査―

| 国 | | 発生率 | 日本国内でほぼ同じ確率の例 |
|---|---|---|---|
| 1 | エルサルバドル | 108.6人 | がん治療のため入院10万人中102人 |
| 2 | ホンジュラス | 63.8人 | 肺がんによる死亡10万人中59.8人 |
| 9 | 南アフリカ | 34.0人 | 急性心筋梗塞による死亡10万人中33.7人 |
| 14 | ブラジル | 26.7人 | 膵臓がんによる死亡10万人中26.8人 |
| 25 | メキシコ | 16.5人 | 糖尿病治療のため入院10万人中16.4人 |
| 34 | ロシア | 11.3人 | 裁判員に選出10万人中11.5人 |
| 44 | フィリピン | 9.8人 | くも膜下出血による死亡10万人中9.9人 |
| 61 | パキスタン | 7.8人 | ヒートショックで心肺停止10万人中7.4人 |
| 86 | アメリカ | 4.9人 | うつ病が原因で自殺10万人中5.0人 |
| 112 | インド | 3.2人 | 交通事故による死亡10万人中3.1人 |
| 151 | サウジアラビア | 1.5人 | 結核による死亡10万人中1.5人 |
| 160 | スウェーデン | 1.2人 | 火災による死亡10万人中1.2人 |
| 169 | イギリス | 0.9人 | インフルエンザよる死亡10万人中0.9人 |
| 176 | ドイツ | 0.8人 | 年収10億円以上10万人中0.9人 |
| 180 | 韓国 | 0.7人 | 熱中症による死亡10万人中0.7人 |
| 182 | 中国 | 0.7人 | 水難事故による死亡10万人中0.6人 |
| 207 | 日本 | 0.3人 | ― |
| 209 | シンガポール | 0.3人 | 山岳遭難による死亡10万人中0.3人 |

ロシアとフィリピンを除き，上位50位内はすべて中南米とアフリカの国であり，次いでイスラム圏の国が多い。欧米先進国では唯一アメリカだけが2人以上で，ヨーロッパの国々のほとんどは2人未満である。シンガポールより下位の6カ国（地域）はすべてナウルやサンマリノなどのミニ国家などで調査年の殺人事件はゼロだった。

おり，おもちゃを買う感覚で誰でも簡単に入手できるという。アメリカが先進国の中で殺人発生率が高いのも，国民が所有している銃の数が人口とほぼ同数の約3億丁，国内にある銃砲店の数がマクドナルドの店の3倍，約5万店というアメリカの伝統的な銃社会が最大の理由だ。一方，日本では，猟銃を除けば銃を所有する一般市民はほぼゼロであり，アメリカでは銃によって命を落とす人は，自動車事故による死者とほぼ同数だが，日本で銃が凶器となる殺人事件は年間10件に満たず，その確率は10万人あたり0.01人，落雷による死亡率より低い。

ただ日本も，もともと殺人事件が少なかったわけではない。戦後しばらくは年間2,000～3,000件の殺人事件があり，1970年頃までの殺人発生率は，ドイツなどヨーロッパの国々を上回っていた。しかし，殺人件数は年々減り続け，この50年で5分の1ほどに減少した。この間，殺人以外にも日本では強盗，傷害，窃盗など多くの犯罪が減少している。犯罪の発生がその国の失業率や経済的豊かさと強く関連することは，各国で検証されているが，日本も戦後の復興から高度経済成長を経験して，国民生活が豊かになったことが，犯罪が減少した最大の理由であろう。

ただ，2001年の池田小無差別殺傷事件（大阪）や2016年の相模原障害者施設殺傷事件（神奈川）のような特異な大量殺人は，エルサルバドルなど途上国ではまず見られないという。振り込め詐欺（P.116参照）もそうだが，豊かさゆえの社会の矛盾が原因なのか，近年は過去にはなかったパターンの犯罪が起こるようになったという。

## 日本の殺人事件の被害者数の推移 〈資料：警察庁〉

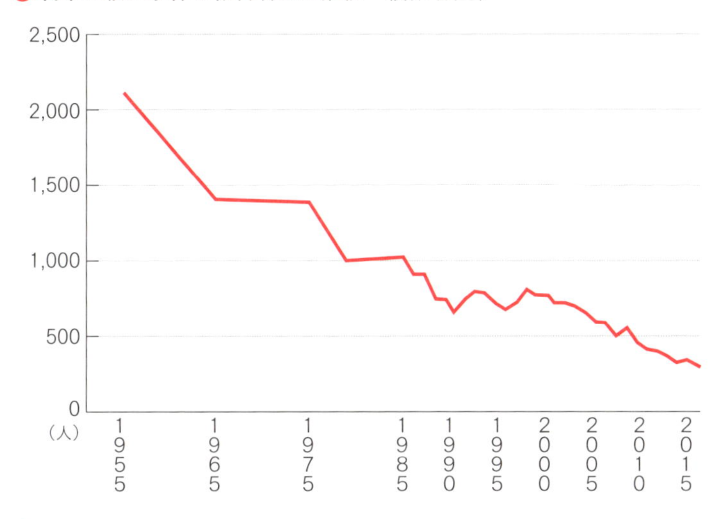


## 日本の凶悪犯罪の検挙率の推移 〈資料：警察庁〉

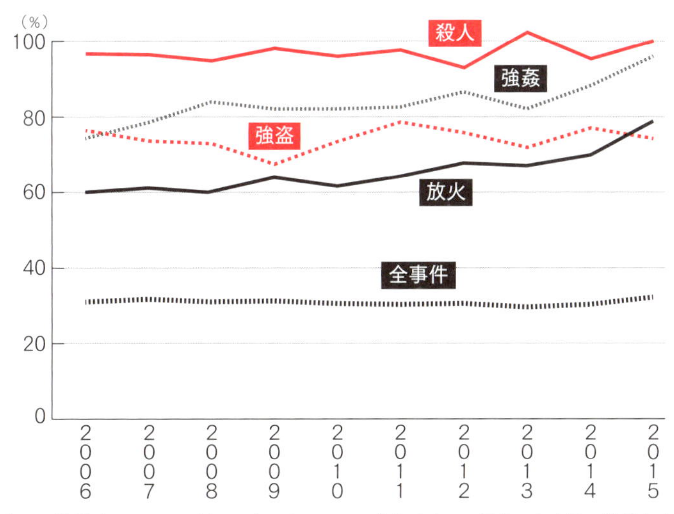


※殺人の検挙率が100%に達した年があるのは，前年度までに発生した事件の検挙を含むためである。なおアメリカは殺人の検挙率は約60%である。
※強姦罪は，2017年に強制性交罪に変更

# 1日に，発生する振り込め詐欺による被害額

● 振り込め詐欺はなぜなくならないのか？

● 多様化する振り込め詐欺の手口とは？

## ▶約1億円 警察庁統計

1999～2002年，鳥取県や島根県で電話で「オレオレ」と告げて家族を装い，11人から1000万円余りを銀行口座に振り込ませる詐欺事件が発生した。その後，犯人を検挙した鳥取県警米子署がこの手口を“オレオレ詐欺”と名付け，この呼称が全国に広まる。この種の詐欺事件は以前からもあったが，マスコミや自治体がオレオレ詐欺として紹介し，注意を呼びかけるようになると，逆に模倣犯が続出し，以後同種の事件が多発するようになる。当初は，手あたり次第に電話をかけ，電話口に出たのが高齢者と見るや「オレオレ」と子や孫を装ってお金をだまし取る単純な手口が多かったが，やがて，家族に限らず，警察官や税務署員を名乗るなど手口が多様化してきた。そこで，2004年，警察庁は特殊詐欺のうち，オレオレ詐欺，架空請求詐欺，融資保証金詐欺，還付金詐欺を総称して“振り込め詐欺”と呼ぶことに決めた。

以来，警察庁では統計を取り続けているが，その被害は減ることはなく2015年には，被害総額が過去最多となり，毎日，全国のどこかで約35件，約1億円の被害が発生している。もちろん，全国の警察は振り込め詐欺の撲滅を目指して防止キャンペーンを展開し，高齢者の家庭には周知を図るなど地道な努力を続けている。それでも被害が減らないのはなぜだろうか。

その理由として，まず考えられるのが手口が巧妙化・組織化し

## 振り込め詐欺件数の推移 〈資料：警察庁〉

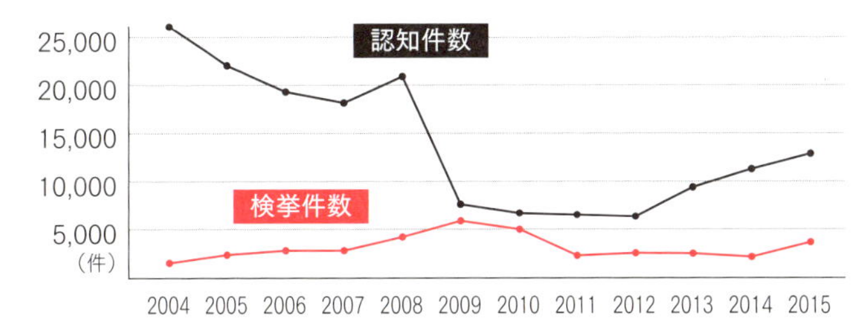


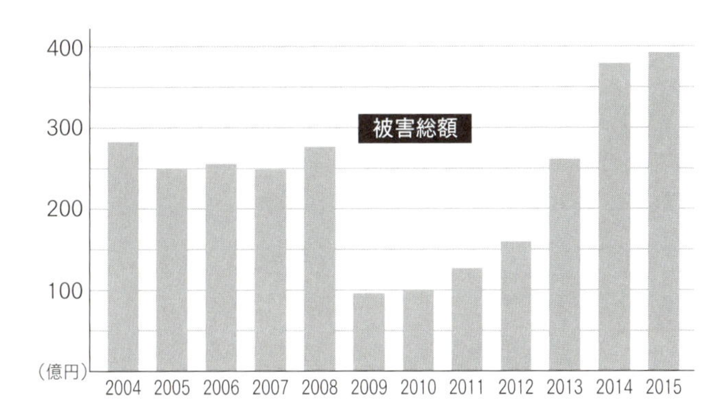


## 振り込め詐欺被害者の性別・年齢別構成（2017） 〈資料：警察庁〉

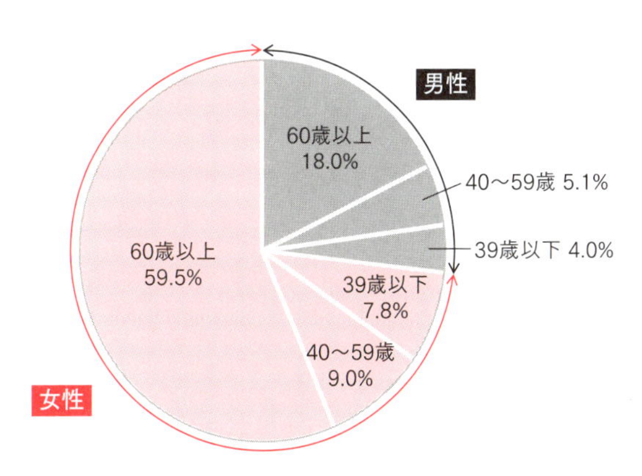

ていることである。近年は，徹底した役割分担で犯罪を遂行する数十人規模の詐欺グループが横行している。役割分担の一例を紹介すると，金主と呼ばれる黒幕のリーダーの下に，連絡役や仲介役を務める番頭格，ターゲットの名簿を調達する名簿担当，税務署員・弁護士・警察官・保険会社社員などシナリオに基づいて役を演じ，実際に詐欺を実行するプレイヤー，口座に振り込まれた金を引き出すダシ子，直接お金を受け取るウケ子などがあるが，彼らの接点はなく，お互いの顔も知らない場合が多い。そのため，逮捕されることがあっても，ダシ子やウケ子など末端のメンバーが多く，主犯格や組織全体の検挙が難しい。

もう一つ，検挙を難しくしているのは拠点を海外に置いたり，海外の組織が絡んでいたりする場合が増えていることだ。国内では電話の発信元が探知されるため，詐欺グループの中には，フィリピンや中国に日本人を送り込んで詐欺電話のコールセンターを開設している場合があり，捜査を困難にしている。残念ながら，振り込め詐欺の撲滅には絶対的な対策がないのが現状である。

別の視点から見てみよう。日本の高齢者世帯の平均の貯蓄額は約2400万円，貯蓄よりローンなどの負債額が多い40代以下の世代とは対照的で，高齢者には資産家が多い。また，2015年の国勢調査では，65歳以上の高齢者は総人口の4分の1を超える3342万人，しかも，そのうち54%は夫婦のみ，あるいは1人暮らしの高齢者のみの世帯である。高齢者が詐欺犯罪のターゲットにされやすいのは，このような社会構造にも一因があるのではないだろうか。

## 振り込め詐欺の種類 〈資料：警察庁〉

―2015年の発生件数と被害額，その手口の事例―

| オレオレ詐欺（なりすまし詐欺）〈5,806件　17.3億円〉 | 架空請求詐欺（支払え詐欺）〈4,125件　18.6億円〉 |
|---|---|
| 電話を利用して，息子や孫，警察官や弁護士などになりすまし，会社でのトラブルや借金返済名目などでお金を要求したり，交通事故の示談金名目などでお金を要求し，だまし取る。<br>・会社の小切手を紛失した。<br>・交通事故の示談金が必要だ。<br>・浮気相手を妊娠させてしまった。 | 有料サイトの利用料，延滞料，訴訟関係費用など架空の事実を口実としてお金を請求する文書やメールを送付し，だまし取る。<br>・インターネット利用料金が未納。<br>・有料サイトに登録されました。<br>・払わなければ訴訟手続をとる。 |
| **融資保証金詐欺（貸します詐欺）〈454件　6億円〉** | **還付金詐欺（返します詐欺）〈2,377件　25億円〉** |
| ダイレクトメール，FAX，電話等を利用して融資を誘い，申し込んできた者に対し，保証金や信用調査などの名目でお金をだまし取る。<br>・誰にでも無担保低利で融資します。<br>・保証料として借入額の▽%を先に振り込んでください。<br>・信用のため，△△カードを作って，まず▽万円を借り入れてください。 | 税務署，市町村役場などの職員を名乗り，医療費や税金などの還付手続があるかのように装ってATMまで誘導し，ATMの操作を指示して，犯人の口座へお金を振り込ませる。<br>・医療費の過払いが返金されます。<br>・年金が一部未払いです。<br>・以前、青色の封筒を送ったが，返信がないので電話しました。 |

# 1日に，発生する万引きによる被害額

- 国内で発生する犯罪の4分の1を占める万引き，その実態は？
- 近年，増えている万引きとは？

## ▶12億6000万円 警察庁推計

2009年に開催された万引き防止官民合同会議で，警察庁は全国の万引きによる被害総額が年間4615億円と推定されると報告した。1日あたりに換算すると12億6000万円，被害額だけ見ると，これはあの3億円事件が日本のどこかで毎日４件ずつ起こり続けていることになる。たかが万引きと思われがちだが，万引きは日本の警察が検挙する刑法犯のおよそ4分の1を占める日本でもっとも多発している犯罪なのだ。

2015年，国内の万引きの認知件数は11.7万件，検挙人員は7.5万人，検挙率は70.4%だったが，万引き犯には大きく3つのパターンがある。まず，未成年による万引きである。未成年の場合は，グループによる犯行が4割を占めることや，「捕まるとは思わなかった」「ゲーム感覚だった」「何も考えなかった」など成人に比べ犯罪意識が乏しいことが特徴だ。1990年代には万引き検挙数の半数を未成年が占めていたが，近年，未成年による万引きは大きく減少している。ただ，統計には14歳以下の小中学生は含まれておらず，さらに未成年の場合，万引きが発覚しても警察への通報がない場合が大半という実態があり，その実数は公表値の数倍にのぼると考えられる。

近年，多いのはスーパーで少額の食料品などを万引きして摘発される高齢者である。相応の人生経験や社会経験を積んだ高齢者

## 階層別万引き検挙人員の推移 〈資料：警察白書〉

（内訳：％）

| | 未成年 | 成人 | 高齢者 | |
|---|---|---|---|---|
| 2000年 | 42.6 | 44.1 | 13.4 | 86,643人 |
| 2001年 | 42.3 | 43.7 | 14.0 | 91,816人 |
| 2002年 | 40.2 | 44.8 | 15.0 | 100,849人 |
| 2003年 | 36.6 | 46.9 | 16.5 | 105,792人 |
| 2004年 | 34.5 | 47.3 | 18.3 | 112,783人 |
| 2005年 | 32.0 | 47.5 | 20.4 | 113,953人 |
| 2006年 | 28.2 | 47.6 | 23.4 | 107,123人 |
| 2007年 | 27.5 | 48.4 | 25.2 | 102,504人 |
| 2008年 | 25.9 | 47.2 | 26.6 | 101,504人 |
| 2009年 | 27.7 | 46.6 | 25.7 | 105,228人 |
| 2010年 | 27.1 | 46.8 | 26.1 | 104,804人 |
| 2011年 | 25.7 | 46.6 | 27.7 | 101,340人 |
| 2012年 | 21.1 | 48.1 | 30.8 | 93,039人 |
| 2013年 | 19.6 | 47.7 | 32.7 | 85,464人 |
| 2014年 | 17.2 | 47.8 | 35.1 | 80,096人 |
| 2015年 | 14.9 | 48.5 | 36.7 | 75,114人 |

0　20,000　40,000　60,000　80,000　100,000　120,000（人）

2000年代半ばから万引きの検挙件数は減り続けているが，とりわけ未成年の万引きが大きく減っている。これは少子化だけが原因ではなく，個人商店の減少，コンビニや量販店の監視態勢の強化，スマホの普及によって未成年者の興味が変化してきたことなどが要因として考えられる。

が万引きに走る動機や事情は複雑だ。生活苦や認知症，所持金はあるが使いたくないという出し惜しみ，中には寂しいので店員に話し相手になってほしくて万引きに走る人もいるという。万引きをする高齢者には1人暮らしの人が多い。孤独感や無力感など高齢者の社会的な孤立が彼らの万引きの背景にあるようだ。

現在，もっとも被害額が大きいのは外国人グループによる組織的な万引きである。千葉県で摘発されたあるベトナム人窃盗団は，24府県で犯行を繰り返し，約1,200件，総額1億4000万円相当の衣料品や化粧品を盗んで国外に持ち出し，ベトナムで売りさばいていた。その手口は指示役，見張り役，実行役などに役割を分担し，あらかじめ狙いを付けた商品を陳列棚からすべて持ち去るという大胆で悪質なものである。

このような窃盗団に狙われるとたまったものじゃないが，もちろん，1冊の雑誌を盗むのも立派な犯罪だ。書店では，本を1冊万引きされると，その1冊分の損益を取り戻すには50冊の本を売らなければならないという。全国2万6000の書店1軒あたりの年間万引き被害額は210万円にのぼるというが，これは近年の書店減少の一因にもなっている。

万引きを防ぐにはどうすればよいのだろうか。万引き経験者に聞くと，彼らは防犯カメラは怖くないが人の目が怖く，誰かに見られていないか常にチェックしているという。お店の人が来店者に「いらっしゃいませ」「今日は暑いですね」と感謝の気持ちを込めて声かけをするのが万引き防止にはもっとも効果があるそうだ。

## 万引きの実態について被疑者へのアンケート調査

・調査期間 :2010 年 6 ～ 11 月
・対象者 : 期間中に検挙された万引き被疑者 1000 人
・調査 : 愛知県警察本部生活安全部地域安全対策課

### どのような場所で万引きをしたのか

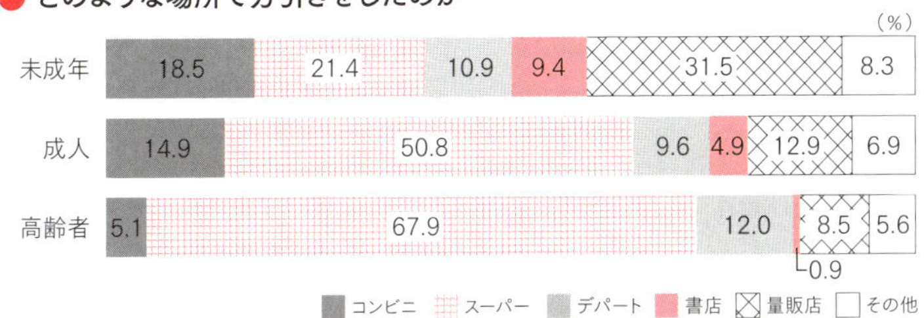


### どのようなものを盗んだのか

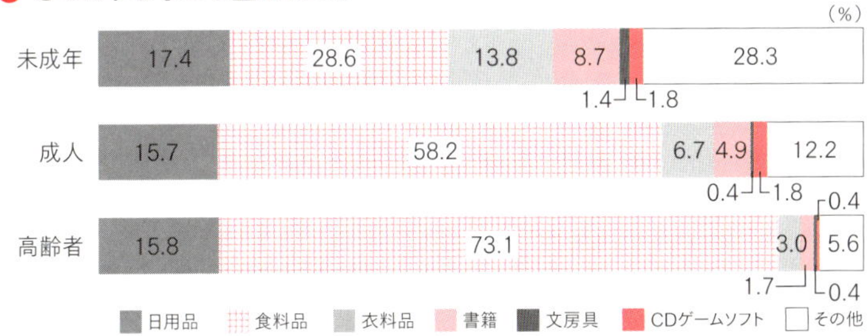

### なぜ万引きをしたのか

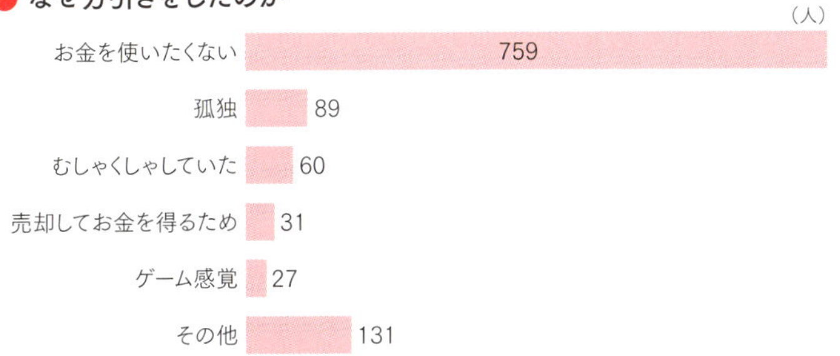


※その他は，誘いを断れなかった（未成年），認知症（高齢者）など

# 1日に，日本のどこかで孤独死する人

- 孤独死はなぜ起こる？孤独死の実態とは？
- 増える孤独死，そこに見える高齢化社会の歪み。

## ▶約88人 NHK調べ

1人暮らしの人が誰からも看取られることなくひっそりと亡くなるが，その死に誰も気付かない。NHKがドキュメンタリー番組制作のため，全国の自治体を調査したところ，このような孤独死の該当事例が推計で年間3万2000件にものぼることがわかった。全国のどこかで1日に約88人もの人が孤独死しているのである。

ただ，厚生労働省は孤独死について全国的な規模の公式統計はとっておらず，その実数は不明だ。孤独死の定義化が難しいことや，故人や遺族のプライバシーを侵害する場合があるという理由である。しかし，自治体の中には，独居の高齢者を対象とし，独自に指針を定めているところもあり，民間のある保険団体は，孤独死を住居内で死亡し，遺体が発見されるまで4日以上経過した場合と定義しており，孤独死はようやく深刻な社会問題として目が向けられるようになってきた。

都会の片隅で，誰にも知られず一人寂しく死んでいく。これだけでも十分悲しい出来事だが，現実はもっと悲惨である。死後数日から数ヵ月経ってようやく遺体が発見されるというケースが少なくないが，遺体が搬出された後も，主が亡くなった部屋には，汚れたままの衣類や食器，郵便物や雑誌などが足の踏み場もなく散乱し，生活の痕跡が生々しく残っている。そればかりではない。

## 孤独死の実情 〈資料：日本少額短期保険協会 - 孤独死対策委員会〉

○性別・年齢別の構成比は？

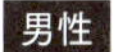


| 39歳以下 | 40～49歳 | 50～59歳 | 60～69歳 | 70歳以上 |
|---|---|---|---|---|
| 9.8% | 12.8% | 18.0% | 32.4% | 27.0% |

女性

| 39歳以下 | 40～49歳 | 50～59歳 | 60～69歳 | 70歳以上 |
|---|---|---|---|---|
| 17.5% | 12.6% | 12.6% | 22.8% | 34.5% |

孤独死者の割合は，男女とも 60 歳以上が半数以上を占めるが，40 歳代以下でも発生数は多く，とりわけ女性の場合は全体の 3 割ほどを占めている。そのため，孤独死者の死亡時平均年齢は，男性 59.6 歳，女性 57.8 歳と日本人の平均寿命より男性で 21 歳、女性で 29 歳も若い。

○死因は？

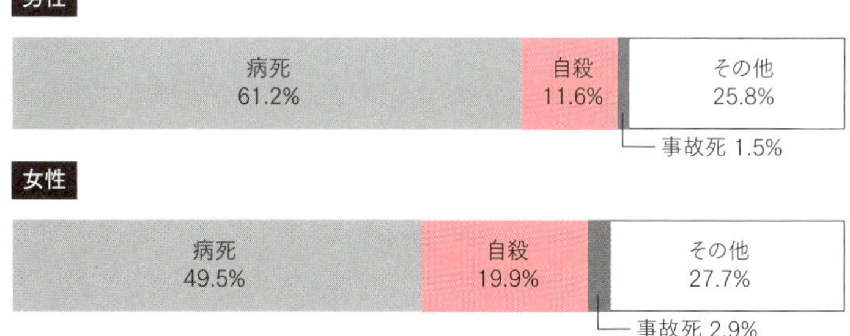


死因は病死が大半で，心筋梗塞や脳疾患など急性の発作が多いのが特徴だが，家の中で転倒して，助けを呼べずに衰弱死したり，困窮のために食事が不十分になり餓死したりするケースもある。60 歳以上では病死が死因の大半だが，40 歳以下の場合は自殺の割合が高い。

長期間，遺体が放置されていたため，体液が染み込んで腐敗した畳や絨毯からは強烈な異臭が放たれ，ハエが飛び交い，害虫が発生し，そこはもう人の尊厳は失われて目を覆わんばかりの惨状なのだ。そのような部屋の遺品整理をし，清掃や害虫駆除をして原状回復をするのは特殊清掃業と呼ばれる専門業者だが，この仕事に携わる人は「これより辛い仕事を私は知らない」と語っている。

孤独死は年々増加しており，高齢化がますます進む2020年代には，年間10万人を超えるのではないかという予測もある。孤独死が増える原因は何だろうか。まず考えられるのは，高齢化社会の進行と1人暮らしの増加である。昔は子ども夫婦や孫などが同居する大家族が多く見られたが，近年は核家族化が進んで，子どもは進学や就職，さらに結婚すると家を出るのがごく普通になり，残された親はやがて配偶者と死別し，1人暮らしになってしまう。

人間関係が希薄になってきた現代社会も原因の1つだ。1人暮らしをしていても，親族や友人，町内会や通院等で社会とのつながりが定期的にあれば自宅で不慮の事態が起こっても誰にも気付かれない可能性は低くなるが，人とのコミュニケーションが少なく孤立してしまうと孤独死の発生リスクが高まる。この傾向は特に首都圏に顕著だが，右図の中国・四国・九州地区の14.5%という数値もその半分は福岡県であり，都市部ほどこの傾向が強い。

2015年には1人暮らし高齢者は全国に約600万人，公営住宅の4分の1を1人暮らしの高齢者が占めている現状を直視し，孤独死問題について，国はまずその定義や基準を明確にして実態を把握し，緊急に対策を講じなければならないのではなかろうか。

## 孤独死の実情 〈資料：日本少額短期保険協会 - 孤独死対策委員会〉

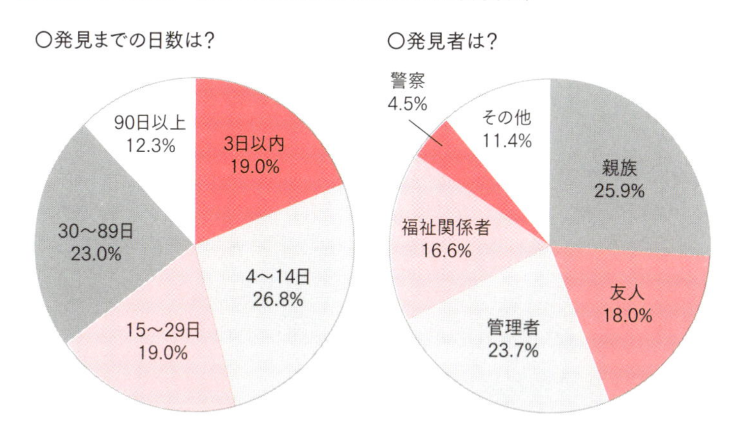


親族や友人など近親者が発見する割合が高いが，その場合は発見までの日数も短く，発見のきっかけも訪問や連絡であることが多い。しかし，発見までの期間が長い場合は，発見者は管理会社・福祉関係者・警察関係者が多く，生前の周囲の人たちとのコンタクトが希薄であったことが推察される。

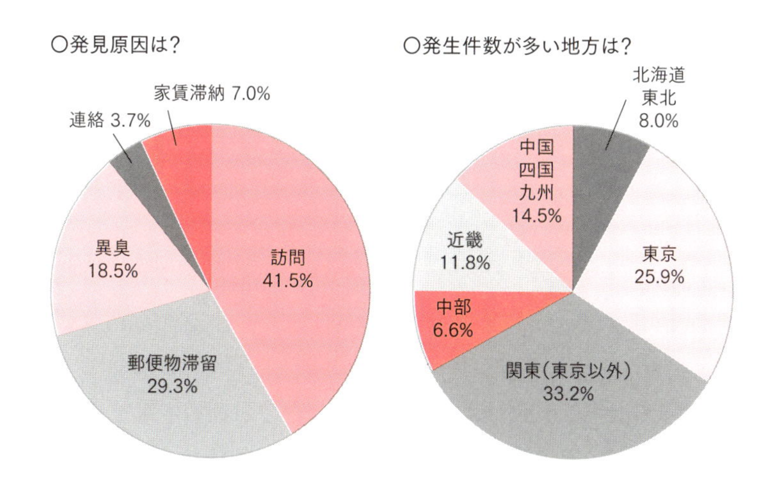

# 1日に，日本で発生する火災

- 火災はいつ？　どこで？何が原因で起こるのか？
- 火災の多い県，少ない県はどこだろうか？

## ▶約100件 消防庁統計

春先に各地で見られる野焼きはどんなに燃焼範囲が広くても，所轄機関に届け出をし，安全管理下に行なわれている場合は，決して火災ではないが，イタズラで郵便受けの中のチラシが燃やされただけでもそれは火災になるそうだ。火災とは意に反して出火し，消火の必要のある燃焼現象のことをいい，燃焼の大小は関係ない。

消防庁によると，全国のどこかで毎日約100件の火災が発生し，1日あたり84棟の家屋と105 aの林野が燃え，3.9人が亡くなっている。季節では12～5月の冬から春に57%，時間別では夕方6時から翌朝6時の夜間に60%の火災が発生している。

1970年代には，年間の火災発生件数は年間8万件を超えていた。その後は2000年頃まで年間6万件前後で推移し，2004年に消防法が改正され，すべての住宅に住宅用火災警報器の設置が義務付けられるようになると，発生件数は徐々に減り，2016年には36,773件とピーク時に比べ，半数以下に減少した。火災警報器の普及に加え，調理機器や暖房器具などの安全性の向上，建物の耐火性能が進んだことなどが火災の減った要因として考えられる。

火災の原因は，1990年頃まで“タバコ”がもっとも多かったが，1996年以降は20年連続で“放火”が第1位となっている。2016年，放火と放火の疑いが出火原因の火災は5,773件で，全火災の

## 火災発生件数の推移 〈資料：消防庁防災情報室〉

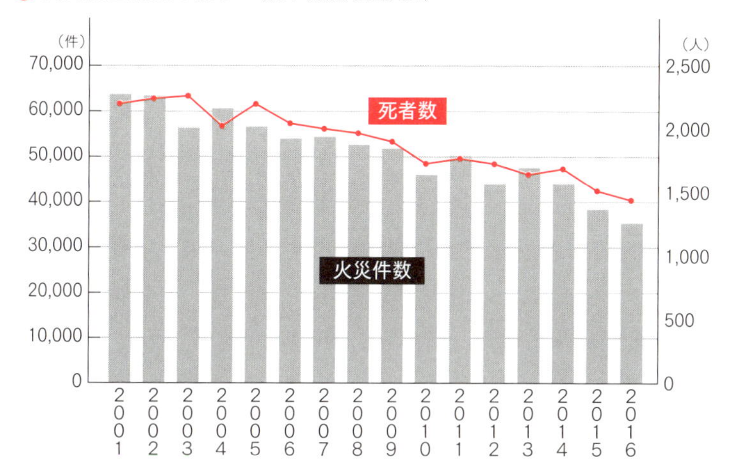


## 出火原因の内訳（2016） 〈資料：消防庁防災情報室〉

（件）

|  |  |
| --- | --- |
| 放火・放火の疑い | 3,563 / 2,210 |
| タバコ | 3,473 |
| こんろ | 3,122 |
| たき火 | 2,108 |
| 電灯等の配線 | 1,300 |
| 火入れ | 1,197 |
| ストーブ | 1,194 |
| 電気機器 | 1,122 |
| 配線器具 | 1,118 |
| 排気管 | 753 |
| マッチ・ライター | 669 |
| 火遊び | 655 |

## 出火場所の内訳（2016） 〈資料：消防庁防災情報室〉

|  |  |  |
| --- | --- | --- |
| 建物 | 20,904件 | （67.9%） |
| 車輌 | 4,041件 | （13.1%） |
| 船舶 | 71件 | （0.2%） |
| その他 | 10,668件 | （29.4%） |

※建物火災のうち11,317件が住宅火災。
※その他は，敷地内，田畑，河川敷，道路など

15.7%を占め，314人の犠牲者を出している。日本は木造家屋が多く，出火すれば周囲の建物まで燃え広がることもあり，放火は重大な犯罪である。人が住んでいる建物に放火すれば人命の危険性もあり，たとえ殺意はなくても，5年以上の懲役もしくは無期懲役または死刑と殺人罪より重い刑が科せられることもある。

2016年の都道府県別火災発生状況を見ると，出火率（人口1万人あたりの年間出火件数）の全国第1位は山梨県の3.98で，もっとも低い富山県の1.81と比べると2.2倍の開きがある。山梨県は2011～14年も全国第1位で，他にも群馬県，長野県，島根県，高知県が毎年のように上位にランクされている。火災が発生しやすくなる気象上の大きな要因は風と乾燥だが，出火率上位の県には，風の強い日や乾燥した日が多いなどの特徴が見られる。2015年の出火率全国第1位は青森県だったが，出火原因はたき火がもっとも多かった。寒冷地ではたき火やストーブが原因の上位になっている。

もっとも出火率が低いのは富山県で，1991年以降，20年以上続けて日本一火災が少ない（人口比）県となっている。富山県は持ち家率が全国一で自分の家を大切に守ろうという意識が高く，また，少年消防クラブや婦人防火クラブなど民間防火組織の活動が活発であることが火災を少なくしている理由だという。火災を減らすために様々な対策が進められているが，結局，一番重要なのは人々の防火意識であることを富山県民が証明している。

なお，出火原因の第2位は“タバコ”だが，山梨県など県民の喫煙率上位5県の平均出火率が3.41であるのに対し，京都府など下位5府県は2.65である。出火率と喫煙率との関連性が興味深い。

## 都道府県別の火災発生状況 (2016)

〈資料：消防庁防災情報室〉

| 府県名 | 出火件数 | 出火率 | 府県名 | 出火件数 | 出火率 |
|---|---|---|---|---|---|
| 北海道 | 1,855 | 3.44 (13) | 滋賀 | 448 | 3.16 (22) |
| 青森 | 472 | 3.53 (9) | 京都 | 545 | 2.12 (44) |
| 岩手 | 435 | 3.38 (15) | 大阪 | 2,128 | 2.40 (43) |
| 宮城 | 734 | 3.16 (22) | 兵庫 | 1,569 | 2.79 (31) |
| 秋田 | 311 | 2.98 (29) | 奈良 | 447 | 3.23 (20) |
| 山形 | 311 | 2.75 (34) | 和歌山 | 351 | 3.53 (8) |
| 福島 | 640 | 3.28 (18) | 鳥取 | 129 | 3.78 (2) |
| 茨城 | 1,054 | 3.52 (12) | 島根 | 256 | 3.65 (4) |
| 栃木 | 660 | 3.30 (17) | 岡山 | 601 | 3.11 (24) |
| 群馬 | 755 | 3.77 (3) | 広島 | 781 | 2.73 (35) |
| 埼玉 | 1,837 | 2.51 (39) | 山口 | 434 | 3.03 (27) |
| 千葉 | 1,729 | 2.76 (33) | 徳島 | 238 | 3.09 (25) |
| 東京 | 4,007 | 2.99 (28) | 香川 | 278 | 2.78 (32) |
| 神奈川 | 1,939 | 2.12 (44) | 愛媛 | 389 | 2.73 (35) |
| 新潟 | 573 | 2.47 (40) | 高知 | 266 | 3.59 (5) |
| 富山 | 195 | 1.81 (47) | 福岡 | 1,272 | 2.47 (40) |
| 石川 | 244 | 2.11 (46) | 佐賀 | 258 | 3.06 (26) |
| 福井 | 196 | 2.45 (42) | 長崎 | 482 | 3.43 (14) |
| 山梨 | 338 | 3.98 (1) | 熊本 | 592 | 3.27 (18) |
| 長野 | 786 | 3.70 (7) | 大分 | 379 | 3.20 (21) |
| 岐阜 | 686 | 3.31 (16) | 宮崎 | 398 | 3.53 (8) |
| 静岡 | 965 | 2.56 (38) | 鹿児島 | 603 | 3.59 (5) |
| 愛知 | 2,042 | 2.72 (37) | 沖縄 | 472 | 2.88 (30) |
| 三重 | 654 | 3.54 (7) | 全国 | 36,773 | 2.87 |

山地や山脈に囲まれた山梨県は降水量が少なく，晴天日数は全国最多で，特に冬は乾燥した日が続き，八ヶ岳おろしと呼ばれる季節風が強く吹くため，火災が発生しやすくなる。
2016 年までの直近 3 年の出火率が全国 2 位，2 位，3 位と上位が続く群馬県も，“ からっ風 ”として知られる乾燥した強い季節風が吹く冬に，多くの火災が発生している。東北から北陸へかけての豪雪地帯は湿度が高く，出火率は低い。

# 1日に，日本で実施される臓器移植手術

- アメリカの80分の1，日本の臓器移植実績は主要先進国中最下位!
- なぜ，海外より臓器移植数が少ない？ 日本の移植医療の事情とは?

## ▶0.92件

日本臓器移植ネットワーク統計

臓器移植とは，病気や事故などによって臓器の機能が低下した患者に他の人の健康な臓器を移植することによって機能を回復させる医療である。日本では1997年に臓器移植法が施行され，ドナー（提供者）が15歳以上で書面による意思表示と家族の承諾があれば，脳死後に心臓，肺，肝臓，腎臓，膵臓，小腸などを提供することが可能になった。さらに，2010年には，本人の意思が不明でも家族の承諾があれば臓器提供が認められるように法改正され，ドナーが15歳未満の場合でも臓器提供が可能になり，今まで国内ではできなかった小さな子どもへの移植が可能になった。

それ以後，日本での臓器移植は少しずつ増え続け，2016年には338件が実施された。ただ，アメリカの臓器移植件数は年間約2万5000件，1日あたり日本の0.92件に対し，アメリカでは毎日70件もの移植が実施されている。ドナーの数も，日本では年間100人にも満たない年が多いが,アメリカは年間8,000～9,000人，日本とは大きな開きがある。人口100万人あたりのドナー数では，日本はなんと世界の主要国中最下位だ。日本の移植医療は欧米のみならず,アジア諸国よりも立ち遅れていると言わざるを得ない。

日本臓器移植ネットワークの調査によれば，自分の臓器を他人に提供することに対して，日本人が特に消極的に考え方をしてい

## 国内の臓器移植件数の推移と移植希望登録者数（2016）

〈資料：臓器移植ネットワーク〉

| | 1998年 | 2000年 | 2005年 | 2010年 | 2015年 | 2016年 | 移植希望者 |
|---|---|---|---|---|---|---|---|
| 心臓単独 | 0 | 3 | 7 | 23 | 44 | 51 | 587 |
| 心肺同時 | 0 | 0 | 0 | 0 | 0 | 1 | 4 |
| 肺単独 | 0 | 3 | 5 | 25 | 45 | 49 | 319 |
| 肝臓単独 | 0 | 6 | 4 | 30 | 55 | 54 | 314 |
| 肝腎同時 | 0 | 0 | 0 | 0 | 2 | 3 | 11 |
| 膵臓単独 | 0 | 1 | 1 | 2 | 4 | 5 | 194 |
| 膵腎同時 | 0 | 0 | 5 | 23 | 32 | 33 | 145 |
| 腎臓単独 | 149 | 146 | 160 | 186 | 133 | 141 | 12,501 |
| 小腸 | 0 | 0 | 0 | 4 | 0 | 1 | 3 |
| 合計 | 149 | 159 | 182 | 293 | 315 | 338 | 13,515 |
| ドナー数（内脳死） | 83 (0) | 77 (6) | 91 (9) | 113 (32) | 91 (58) | 96 (64) | |

腎臓は1人に2個あるので，腎臓移植の場合は近親者からその1つの提供を受ける生体移植が多い。

## 主要国の人口100万人あたりのドナー数（2012）

〈資料：日本移植学会〉

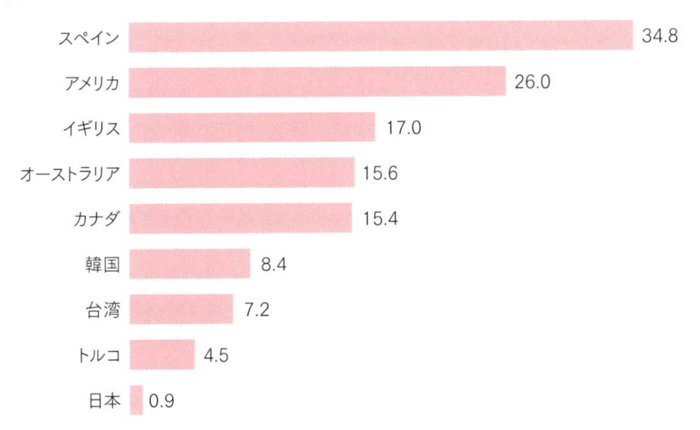


スペインなどヨーロッパには，臓器提供を拒否する意思表示をしていない場合は自動的にドナーと見なす推定同意の制度を採用している国が多い。

るわけではない。それなのになぜ日本では臓器移植が進まないのだろうか。臓器は心臓が止まると血液循環がなくなり，状態が悪化するので，移植のためには心停止ではなく，脳死のドナーの臓器提供が望ましい。アメリカでは患者が脳死状態になれば，すべての治療行為が終了し，医師は死亡宣告をする。宣告後，医師には患者の家族に対して「臓器を提供するか否か」の確認をすることが義務づけられており，家族は提供の諾否の判断を求められる。一方，日本では心臓や呼吸の停止，瞳孔散大などの徴候から総合的に死を判定しており，たとえ脳死状態であっても心臓が動いていれば，医師は治療を続けることが多い。さらに，日本の脳死判定は2人以上の専門医で6時間を空けて2度実施するなど外国より判定の基準が厳しく，判定医を確保できない病院も多い。そのため，日本では臓器提供の意思表示のない患者には脳死判定は行なわない。

ドナーの家族の承諾を得て，臓器摘出医や移植医と連携し，移植をスムーズに進めるドナーコーディネーターも欧米や韓国に比べると日本は不足している。また，臓器提供をしてもよいと考える人は多くても，実際にその意思表示をしている人が少ないことも日本で臓器移植が増えない理由の一つだ。ドナーカードはコンビニなどで簡単に入手でき，2010年から免許証などに提供意思の記載欄が設置されたが，そのような制度を知らなかったり，知っていても意思表示をしていない人が多いのが現状である。

がん治療など世界最先端の医療技術を持つ日本が移植医療では後進国なのだ。この矛盾はなんとしても解消しなくてはならない。

**臓器提供の意思に関する意識調査**

・調査期日：2016 年 3 月
・対象者：10 ～ 60 代の男女 3,000 人
・調査者：日本臓器移植ネットワーク



## ● 臓器移植についてどのように考えるか

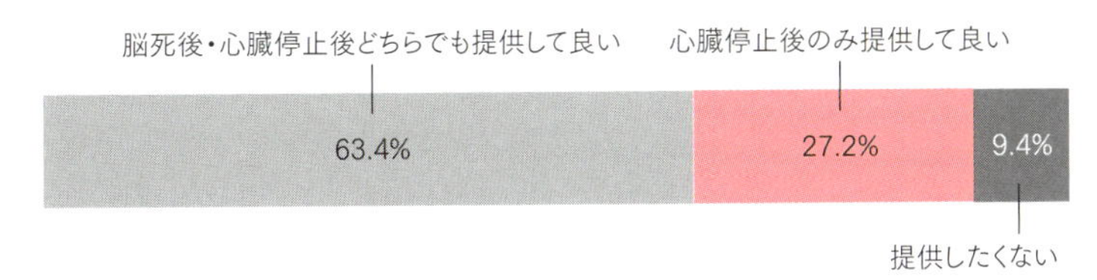


## ● 次の制度を利用して，臓器提供の意思表示をしているか

○臓器移植意思表示カード（ドナーカード）…日本臓器移植NW発行
（脳死後・心臓死後に臓器の提供について意思表示することができる）

○運転免許証裏面の臓器提供意思表示欄への記入

○保険証裏面の臓器提供意思表示欄への記入

○インターネットによる日本臓器移植NWへの臓器移植の意思の登録

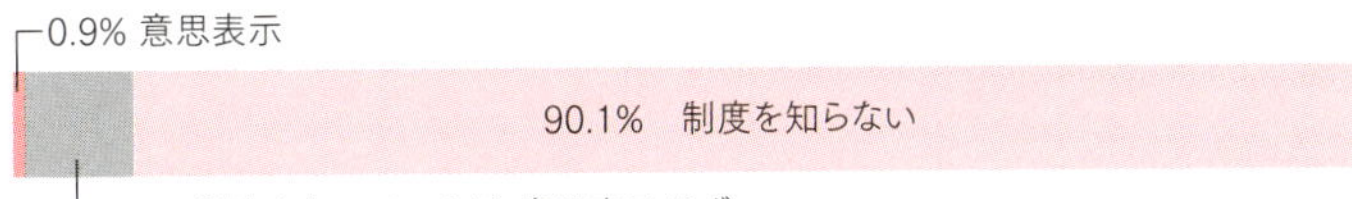

# 1日に，全国の裁判所が受理する事件（訴訟・調停等）

- テレビドラマでよく見る裁判風景，その実際は？
- 日本の裁判は長い？それとも短い？

## ▶約1万4800件 司法統計

簡易裁判所から高等裁判所まで全国には500近い裁判所がある。それらが2016年に新たに受理した訴訟や調停などの事件の総数は358万件，土日や祝祭日などの休廷日を除いて1日あたりに換算すると1万4777件，これに審理中の事件も加えると，それぞれの裁判所は毎日膨大な量の事件を取り扱っているわけである。詳細な統計は公開されていないが，東京地方裁判所では，ある1日に刑事は24の法廷で52件，民事は64の法廷で573件の裁判が開かれていた。テレビドラマで見る裁判は，時間をかけて何人もの証人尋問が行なわれ，判決まで公判が何度も開かれる。もちろん，そのような裁判もあるが，通常の裁判は30分～1時間ほど，判決の言い渡しだけなら5分くらいであっという間に終わるという。

「日本の裁判は長い」というのはよく聞かれる言葉だが，通常の刑事裁判の第一審事件の場合，事件の受理から第1回公判までが平均1.6ヵ月，第1回公判から判決までが平均1.4月，4分の3以上の裁判は事件の審理期間から判決まで，3ヵ月以内に終局している。1年以内に終局しない裁判は全事件数のわずか1.4%にすぎず，近年の裁判は世間の人が思うより迅速化されている。公判の平均回数は2.7回，第1回公判で弁論終結し，第2回公判で判決が言い渡される場合がもっとも多く，約6割を占め，公判が

# 全裁判所の新受事件数の推移
〈資料：司法統計〉

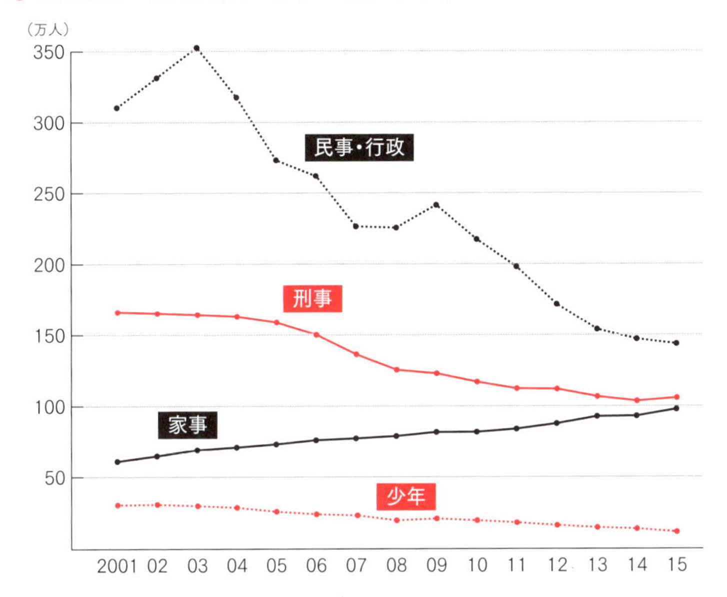


# 刑事通常第一審事件の審理期間と開廷回数（2015）
〈資料：裁判の迅速化に係わる検証に関する報告書〉

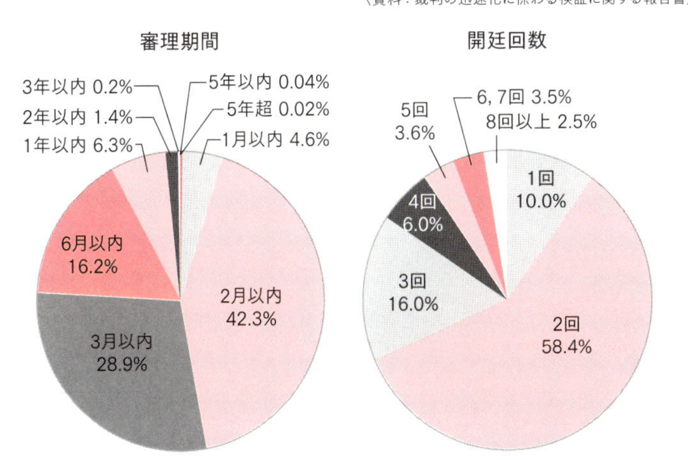

1回で終局する裁判も1割ほどある。

ただし，被告人が犯行を自白せず，否認している場合の公判回数は平均6.2回，終局までの審理期間も平均8.5ヵ月と長くなる。なお,2015年,第一審で無罪が宣告されたのは71件,全事件のたった0.1%だ。テレビドラマのように敏腕弁護士が逆転無罪を勝ち取るというような裁判は現実にはきわめて稀なのである。

民事裁判は，金銭トラブルなど私人間の争いについての裁判で裁判所に訴えを起こすことによって審理が始まる。もっとも，民事の場合は話し合いによる和解が基本で，裁判所は調停や仲裁など様々な手段でできるだけ裁判をしないで決着を目指し，6割ほどが和解や取り下げで終局となるが，あとの4割ほどが最後の手段として裁判が開かれることになる。その場合の訴状の受理から判決までの平均審理期間は7.8ヵ月，1年を超える裁判が14%あり，民事裁判は刑事裁判よりも時間を要する。

ただ，近年は裁判所が扱う刑事事件・民事事件とも件数は減少傾向にあるが，その一方で増えつつあるのは家事事件である。家事事件とは離婚や子どもの認知など夫婦や親子関係などに関する争いで家庭裁判所が解決にあたる。このような争いが増えるのは家族の絆が希薄になってきた昨今の世相であろうか。

裁判所データブックによると，日本の裁判官の数は人口10万人あたりわずか3人，アメリカの10人，ドイツの25人など欧米諸国に比べるとかなり少ない。日本の裁判所は人手が不足し，裁判官は毎日が多忙である。もっとも,裁判所や裁判官の多忙さは,人員を増やすのではなく，事件を減らして解消したいものだ。

## ● 刑事通常第一審事件の終局結果（2015）〈資料：司法統計〉

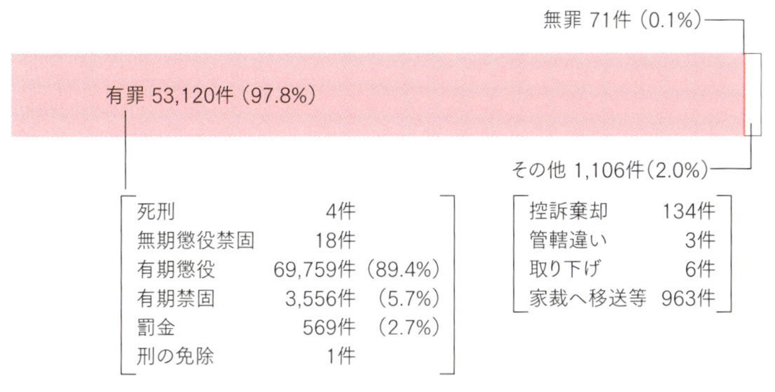


懲役は刑務所内で労役義務が課せられるが，禁固にはその義務はない。
有期刑のうち執行猶予の付与率は58%である。

## ● 刑事通常第一審審理期間別事件数（2015）

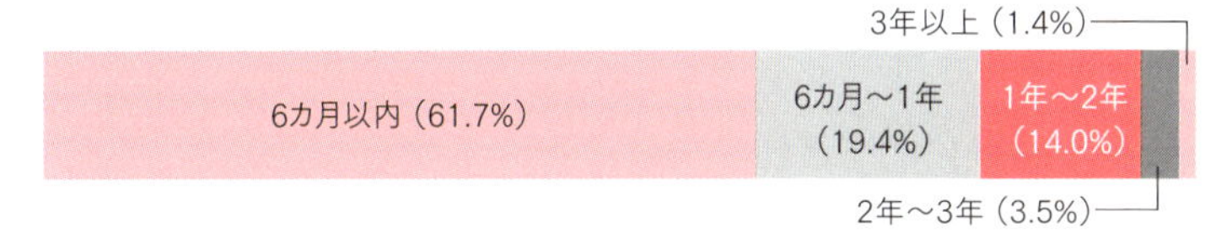


## ● 民事第一審訴訟事件の種類（2014）

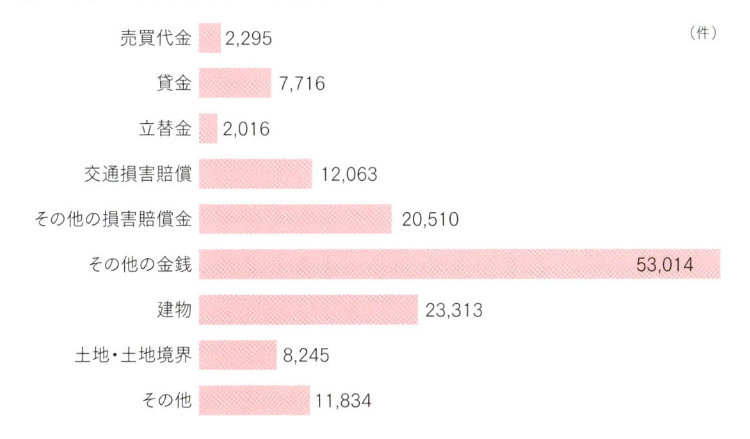


全事件の75%は金銭に関連した訴訟である。

# 1日に，日本国内で送受信される迷惑メール

- 迷惑メールって誰が何の目的で発信しているのだろう?
- 心あたりがなくても迷惑メールが送りつけられてくるのなぜ?

## ▶4億6213万通 総務省統計

2016年，アメリカの市場調査会社「The Radicati Group」の報告によると，世界で1日に送受信されるメールの数は2153億通に達するという。これは世界の人口の約30倍の数だ。日本では，国内の電気通信事業者 10社が取り扱ったメールが1日あたり12億2974万通（2017年6月）にのぼったことを総務省が発表した。

メールはビジネスでもプライベートでも今や電話を上回る通信手段となっている。ただ，多くのメール利用者を困らせるのが，覚えがないのに勝手に送りつけられてくるいわゆる迷惑メールだ。総務省の調査によると，もっとも多かった2011年6月には1日あたり14.4億通，国内で行き交うメールのうちの70%以上を迷惑メールが占めていた。近年は様々な対策が進み，2016年は迷惑メールの比率が初めて40%を下回ったが，最近の迷惑メールは特定のユーザーに狙いを定めて送信するなど手段が巧妙化しているという。

迷惑メールとはいっても，送信者は他人に迷惑かけること自体を目的としているわけではなく，ほとんどはお金を稼ぐことが狙いである。数年前，54億通もの迷惑メールを送信し，1億円の収益を上げたグループが逮捕されたが，迷惑メールは接続料金のみの低コストで膨大な量を送信することができ，10万通送りつけ，そのうち1人でも騙すことができれば十分な儲けになるという。

## 日本の迷惑メール総受信数の推移 〈資料：総務省〉

| | 迷惑メール数 | 通常メール数 |
|---|---|---|
| 2009年6月 | 10.7 | 4.1 |
| 12月 | 10.2 | 4.8 |
| 2010年6月 | 11.1 | 5.3 |
| 12月 | 11.8 | 5.6 |
| 2011年6月 | 14.4 | 5.5 |
| 12月 | 13.3 | 6.8 |
| 2012年6月 | 11.8 | 4.4 |
| 12月 | 12.9 | 7.7 |
| 2013年6月 | 10.5 | 7.2 |
| 12月 | 10.7 | 6.0 |
| 2014年6月 | 8.4 | 6.2 |
| 12月 | 10.9 | 7.4 |
| 2015年6月 | 8.8 | 7.0 |
| 12月 | 6.6 | 7.2 |
| 2016年6月 | 4.9 | 7.4 |

（億通／1日）

0 5 10 15 20

## 迷惑メールの内訳（2012） 〈資料：日本産業協会〉

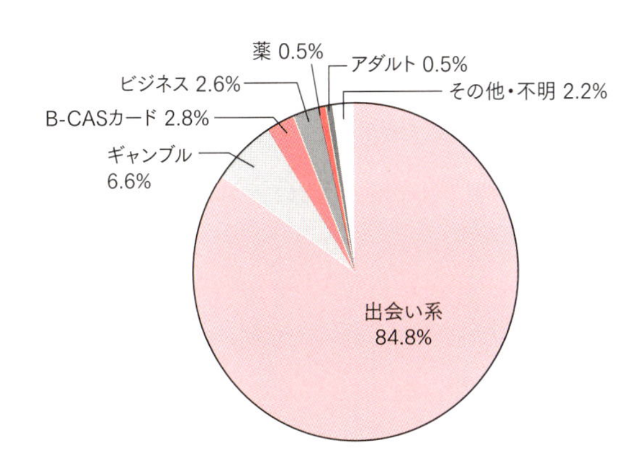

迷惑メールのうちもっとも多いのは，出会い系関連で，全体の8割以上を占めている。うっかりクリックすると登録扱いとなり，法外な利用料金を請求されることがある。他にも競馬などのギャンブル関連の有料サイトや，脱法ドラッグや偽薬物の販売サイトへ誘導するメール，実在する企業の名を騙(かた)った偽装ホームページにアクセスさせて，クレジットカード番号やID，パスワードなどの個人情報を入手しようとするメールなど，お金や情報を騙し取ろうとする様々な種類の迷惑メールが行き交っている。

迷惑メールを受け取らないためには，メールアドレスを知られないようにすること重要だが，悪徳業者はあの手この手で他人のアドレスを入手しようとしている。自分のアドレスをそんな業者から守るためにも，なぜ迷惑メールが届くのかそのしくみを知っておいてほしい。

スマホの普及とともに増加しているのは，何気なくインストールしたアプリに個人情報を抜き取るウイルスが添付されていて被害に遭うケースだ。また，インターネットを使用するときに，気をつけたいのは，懸賞応募やアンケート依頼など表向きは普通に思えるサイトの中にも，個人情報収集のための偽装サイトがあることだ。さらに，プログラムを使って，単語や数字をランダムに組み合わせて実在しそうなアドレスに大量かつ無差別にメールを配信することもある。「下手な鉄砲も数撃ちゃ当たる」方式だ。

対策としては，怪しげなメールはとにかく無視すること。フィルタリングなどセキュリティ対策は当然だが，Webサイトのサービスを利用する際には，サブアドレスを使うのも有効だ。

## 迷惑メール送信のしくみ 〈参考：NortonBlog HP〉

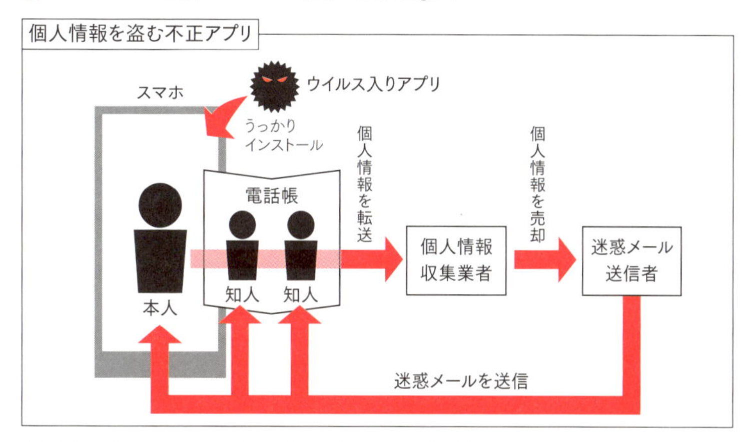


何気なくインストールしたアプリにウイルスが添付されていて，そのウイルスがスマホやパソコン内に保存されているメールアドレスを盗み出して個人情報業者に送信する。

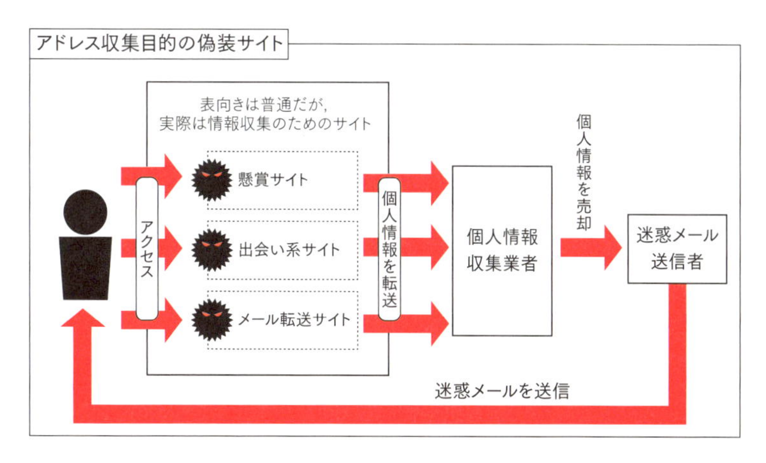


サイトの懸賞に応募するときなど，自分のアドレスを記載するが，実はそのサイトが個人情報収集目的の偽装サイトで，入力したデータがそのまま悪徳業者のリストに登録される。

COLUMN 2

# 日本のトップ企業 1日の売上高(2016)

資料:日経電子版売上高ランキング・各社 HP 等

**トヨタ自動車** 776 億円(年間 28 兆円)—国内全企業中 NO.1

2016 年の自動車生産台数はグループ全体で 404 万台，海外生産を加えると 1021 万台でVWグループに次ぐ世界第 2 位，販売台数では世界一。

**NTT vs ソフトバンク** 320 億円(年間 11 兆円) vs 250 億円(年間 9 兆円)

両社は通信キャリアの世界ランキング5位と6位，売上高は NTT が上位だが，年間純利益は NTT の 7700 億円に対し，ソフトバンクは 1 兆 4263 億円。

**三菱 UFJ 銀行** 110 億円(年間 4 兆円)—預金残高 120 兆円の銀行 NO.1

銀行では業務粗利益が一般企業の売上高にあたる。資金運用による収益が約 50%，手数料の収益が 36%。その他(国債等の売却・外貨の売買など)が 14%。

**イオン** 223 億円(年間 8.2 兆円)—国内の小売業 NO.1

総合スーパー 625 店舗，モール型 SC274 モール。越谷市のイオンレイクタウンは東京ドームの 7.2 倍の面積，テナント数 710 の日本最大の SC。

**アマゾン** 30 億円(年間 1.1 兆円)—世界最大のネット通販サイト

約 5000 万種類の商品，世界全体の売上は 1360 億ドル(約 15 兆円)。

**ユニクロ** 49 億円(年間 1.8 兆円)—世界第 3 位のカジュアル専門店

国内 837 店舗，海外 958 店舗，中国やベトナムなど7カ国に 146 工場。

**ダイソー** 11.5 億円(年間 4200 億円)—100 円ショップの NO.1

国内外に約 4,700 店舗。7万種類の商品を揃え，1 日の客数は 200 万人。

**ヤマト運輸** 49 億円(年間 1.4 兆円)—国内の宅配便シェア 47%

1 日あたりの配達量は 511 万個(年間 18.7 億個)，ドライバーが6万人。

**ANA vs JAL** 48 億円(年間 1.8 兆円) vs 37 億円(年間 1.3 兆円)

乗客数は 5100 万人対 4800 万人，2015 年に国際線でも ANA が逆転した。しかし，ANA は負債額が JAL の 7 倍，純利益は JAL の 2 分の 1 に満たない。

# 3章

# 日本人の1日

# 1 日本人1人あたり，1日に食べるご飯

- エッ！ 日本人1人あたりの米消費量は世界第50位ってホント？
- なぜ，日本人は米を食べなくなったのか？

## ▶172g（精米換算・茶碗2.4杯） 農林水産省統計

1日のご飯の摂取量が茶碗2.4杯というのは，それが多いか少ないのか，にわかには判断しづらいかと思う。100年前の大正時代の日本人の平均が1日約8杯，現在，1人あたりの米消費量世界一のベトナムの人々が1日に食べる量は，茶碗中盛りのご飯に換算すると約9杯，それらと比較すると現代の日本人はあまり米を食べていないことがわかる。

日本の米の生産量がもっとも多かったのは1967年の1445万ｔ，この年に日本は悲願であった米の100％自給をようやく達成するが，実は米の国内需要量はその少し前の1963年がピーク，皮肉にも米の安定生産体制が確立した時期から日本人の米離れが始まったのである。1960年代初めに日本人が1日に食べていたご飯の量は，大正時代は下回るものの約5杯，それが半世紀でほぼ半分の2.4杯になったわけだ。

米離れは若者世代がもっとも顕著だ。日本農業新聞が2016年に東京の20代を対象に実施した調査によると，1ヵ月間一度も米を食べなかったと回答した人が16％もいた。「手軽でない（炊くのが面倒）」「ダイエット」などが理由である。

また，朝食に関する別の調査によると，9割ほどの日本人はほぼ毎日朝食をとっている。しかし，ご飯派はパン派より少なく，とくに女性では，ご飯派はパン派の6割ほどしかいない。パン食

## 年間米生産量と国民１人あたり１日の米消費量の推移

〈資料：農林水産省食糧需給表〉

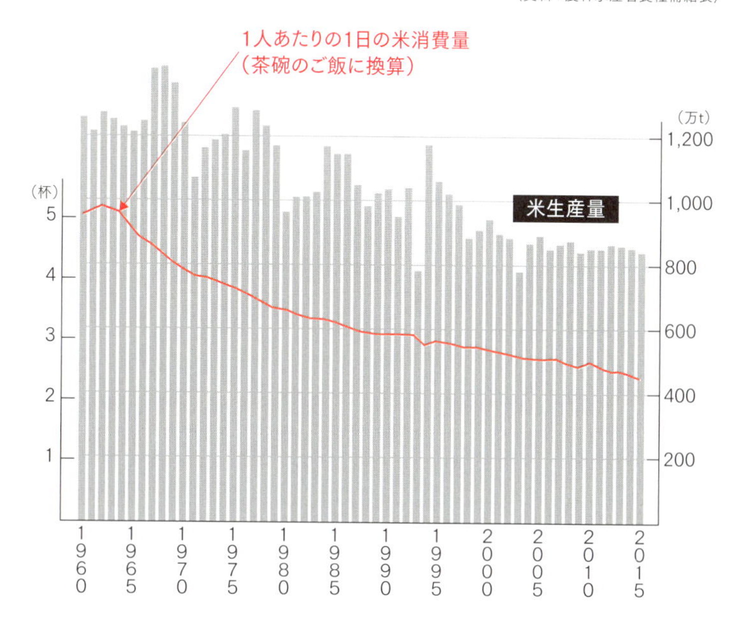




1960 年頃の日本人は 1 日の供給熱量のほぼ半分を米からとっていた。これを 1 人 1 日あたり米消費量に置き換えると約 350g（茶碗 5 杯），しかし，2015 年には 172g（茶碗 2.4 杯）にまで減少した。この数値は今や世界の平均の 183g を下回っている。

## 朝食におけるご飯派とパン派 〈資料：アスリード〉

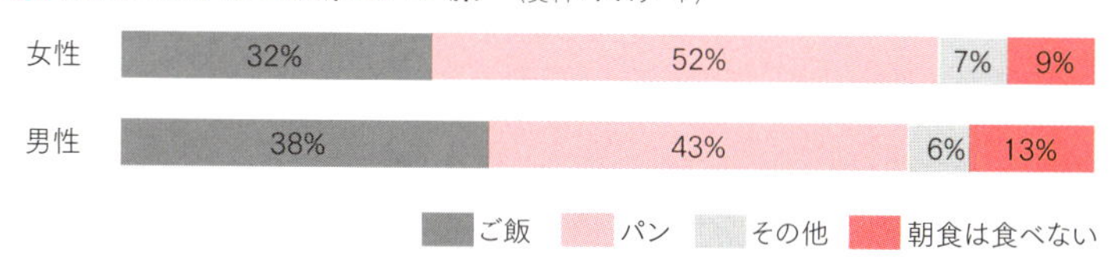


※ 2014 年 10 代〜 60 代以上の男女 1,200 名に調査

が多いのは調理が不要で手間がかからないのが大きな理由だが，経済的理由を挙げる人もいる。ご飯は自分で炊かねばならないのが面倒ということで，少人数の世帯では最近はレトルトご飯の売れ行きが伸びているが，価格は1食分が約100円，同じ100円でもこれが食パンだったら6～8枚切りで数食分になり，パンのほうが安く済む。

女性だけで見ると，ダイエットのために米を食べないという人が多い。近年は，マスコミでも炭水化物抜きダイエットがしばしば取り上げられるが，実際に炭水化物とりわけ米をとらないようにすると，体重が早く減るそうで，即効性のあるダイエットとして人気が高まっている。しかし，このダイエット法は専門家からは，正しく行なわないと効果が得られないだけでなく危険が伴うことが指摘されている。炭水化物を減らしてすぐに痩せたように思っても，それは筋肉が落ちたためであり，脂肪はなかなか減らない。また，炭水化物の糖質は体内でブドウ糖に変わり，体を動かす際の重要なエネルギー源や脳を働かせる重要な栄養素となる。ご飯茶碗1杯あたりの炭水化物の量は約56 gだが，厚生省のガイドラインでは成人男性で1日に243 g，女性は203 gの炭水化物の摂取が必要とされている。ご飯はパンや麺類のように塩分や油で調味しないので低カロリーで脂肪分が少なく，本来は理想的な炭水化物食品だそうだ。

日本人の長寿世界一の秘訣が，米を主食とし，魚，海藻，野菜などをバランスよく摂取する伝統の和食にあることは，今や世界の国々が認めている。若者たちよ，毎日しっかりご飯を食べようではないか。

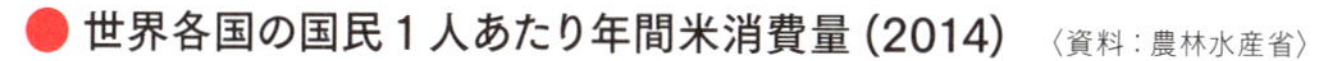


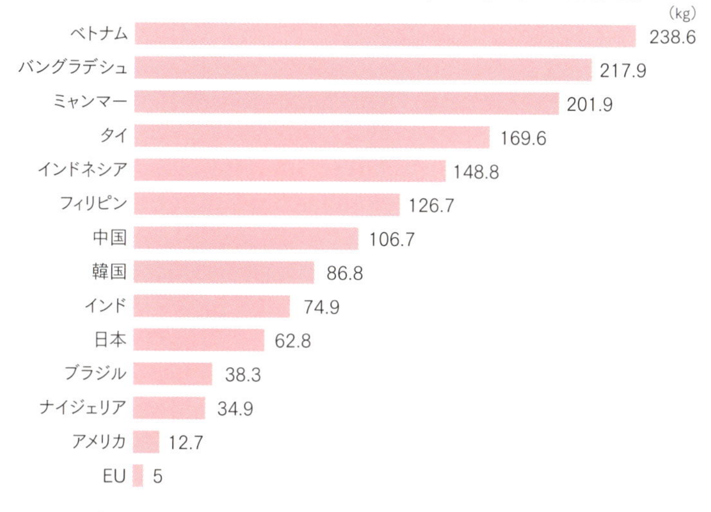


ランキング上位のほとんどは，熱帯アジアの国々が占めるが，日本はモンゴルとパキスタン以西の国々を除けばアジアで最下位である。近年は中南米やアフリカ諸国の消費量が増え，１日１人あたりの米消費量が日本を上回る国が増えている。

## 若者の米の消費に関する調査 〈資料：日本農業新聞〉

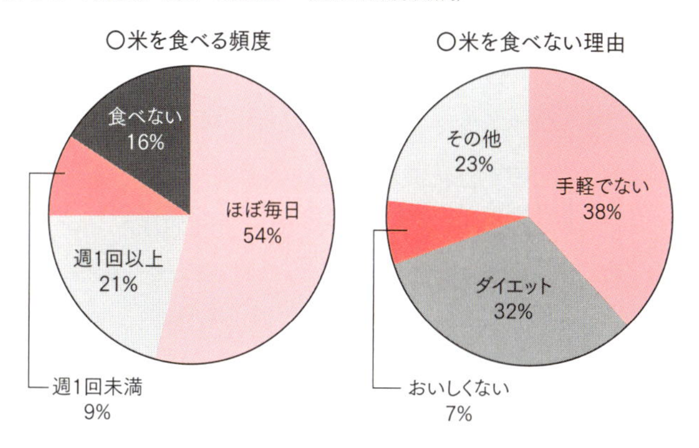

# 日本人1人あたり，1日に食べるたまご

- 日本人のたまご消費量は世界第3位。
- 今やたまごは養鶏農家ではなく工場で生産ってどういうこと？

## ▶0.9個（ほぼ毎日） 国際鶏卵委員会調査

2013年，朝日新聞がたまご料理をテーマにアンケート調査を実施したところ，回答者の7割がたまごをよく食べると答え，オムライスが「好きなたまご料理」の第1位になった。第2位以下の料理は右に示したとおりだが，上位を日本のたまご料理が占めている。多くの人が洋食と思っているオムライスも，そもそもレストランの賄い飯が起源といわれる日本生まれの料理である。

1人あたりのたまご消費量を見ても，日本は世界のトップクラス，日本人はほぼ毎日たまごを食べている。また，日本の味の代表的存在である梅干しですら今や半分以上が輸入ものであるのに対し，たまごはマヨネーズなどの加工用の一部を除けば100%が国内生産，しかも管理や検査が徹底されている日本のたまごは生でも安心して食べることができ，どこの家庭でも欠かすことのできない食材だ。

しかし，たまごは昔から日本人の身近な食材であったわけではない。かつて，たまごは庶民には高嶺の花の高級食材で，1人で1個食べられるのは病気になったときくらいだったという。1955年頃のたまご1個の価格は約15円，この価格は，当時のうどん1杯の値段や銭湯の入浴料とほぼ同じである。昨今は立ち食いうどんでも1杯300円以上は当たり前だが，たまごの市場価格は半世紀以上ほとんど変わらない。一方，生産量はこの半世紀あまりに

● 日本人の好きなたまご料理　〈資料：朝日新聞〉

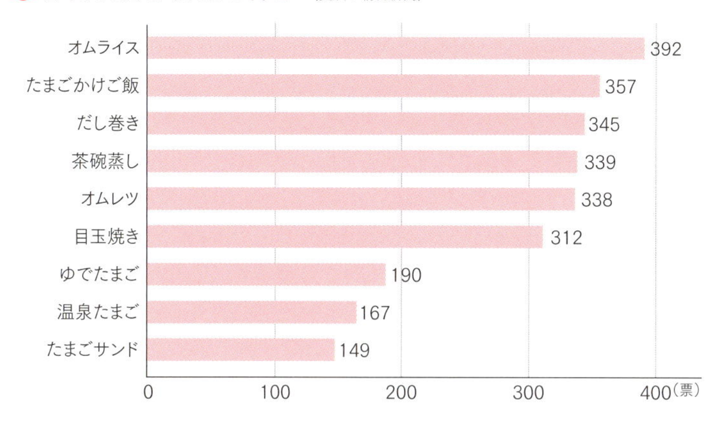


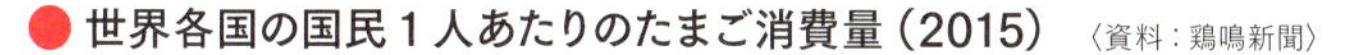

● 世界各国の国民 1 人あたりのたまご消費量（2015）　〈資料：鶏鳴新聞〉

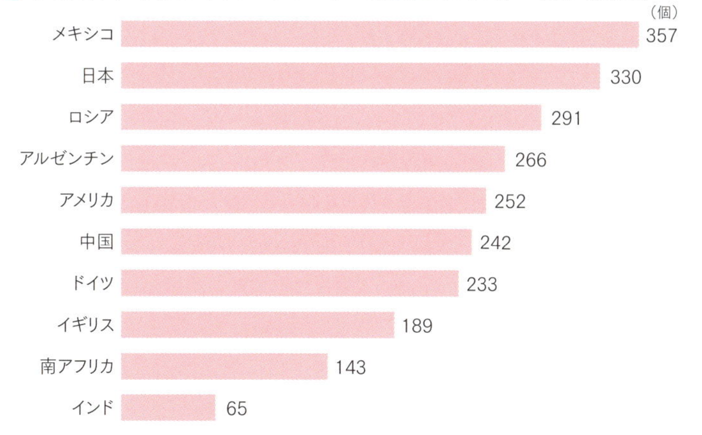


メキシコでは，たまご料理は朝食の定番で，そのメニューはバラエティに富んでいる。しかし，日本人はたまごかけご飯やすき焼きなどたまごを生で食べるが，メキシコなど世界の国々にはこのような生食の習慣はほとんど見られない。また，日本ではたまごの賞味期限は採卵後 2 週間くらいだが，生食を前提としないアメリカや韓国は約 1 ヵ月と長い。

5倍に増え，日本は世界有数のたまごの大量生産・大量消費国に成長した。

その理由は世界最高水準の日本の養鶏技術にある。1955年頃までは，養鶏農家1戸あたりのニワトリ飼養数は10羽ほどにすぎなかったが，現在の1養鶏場あたりの飼養数は5万羽を超えている。筆者が取材に訪れた愛知県のある養鶏場は，完全空調システムを採用し，コンピュータによって，温度，湿度，照明を最適に設定した2棟のウィンドレス鶏舎で，約20万羽の採卵鶏を飼養し，1日に約16万個のたまごを生産している。しかも，これらを管理しているスタッフはたった4人だ。鶏舎内の給餌，集卵，糞の取り出しなどはコンピュータ制御によって機械化され，たまごはベルトコンベアで自動的に集められて，そのまま隣接するパッキングセンターへ送られる。ここでもすべての作業は機械化されており，作業員が直接たまごに触れることはほとんどない。産卵→集卵→洗浄→殺菌→検卵→パック詰めまでのシステムを直結することによって，徹底した省力化と効率化を実現し，生産コストの低減化を可能にしている。

狭い農地と家族中心の零細経営は，日本の農業が外国に太刀打ちできない最大の弱点といわれてきたが，これを打破したのが養鶏業である。狭い土地であってもケージを立体的に配置した鶏舎にすることで，大規模経営を可能にした。さらに，毎日のそしてフルシーズンの生産が可能な養鶏業は，季節の制約という農業の常識を覆し，もはや第一次産業というより第二次産業（製造業）というべきかもしれない。

## たまごの生産量と価格の推移 〈資料：鶏鳴新聞，たまご博物館〉

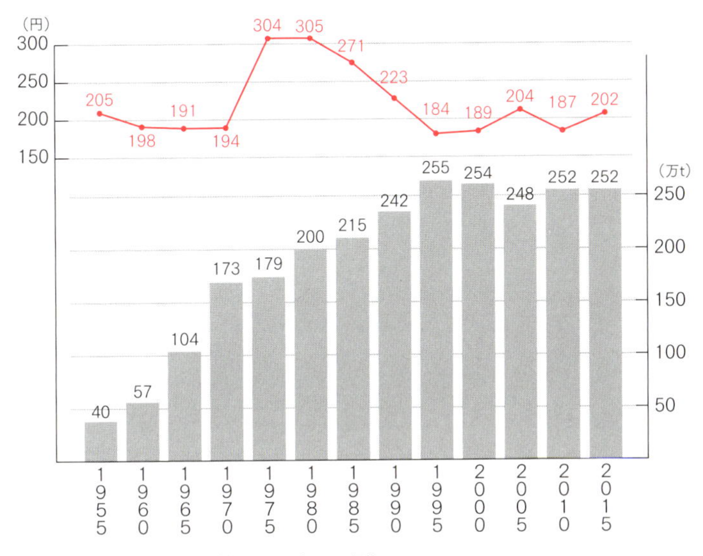


※たまご価格は全農東京市場 M サイズ 1kg の価格

小規模経営の平飼いから大規模なケージ飼いへの養鶏方法の変化，トウモロコシなど安価な飼料の輸入，産卵効率の高い品種の採卵鶏の導入などによって，1960 ～ 90 年頃に生産量が飛躍的に増大し，たまごは消費者に低価格で安定した供給ができるようになった。

平飼い…自由に動き回れるよう広い地面で放し飼いをする。

ケージ飼い…数段に重ねた金属製ケージに数羽ずつ入れて飼育する。

# 日本人（成人）1人あたり，1日に飲むお酒

- 日本人はお酒が好きな国民なのだろうか？
- 日本人が好きなお酒は何だろうか？

## ▶ビールなら中ビン1本，日本酒なら1合 WHO統計

日本人が1日に飲むお酒はビールなら中ビン1本，日本酒なら1合，純アルコール換算では22ccである。WHO（世界保健機関）の調査によると，これは調査対象188ヵ国中70位。「意外に下位じゃないか」と思うのか，それとも「上位なんだ」と思うのか，感じ方は人それぞれだが，実際のところはどうなのだろう。

ランキングを見ると，上位のほとんどをヨーロッパの国々が占めており，次いで中南米やオセアニアの国々が多い。アジアの国々の中では韓国が第13位と突出しているが，日本はヨーロッパに近い中央アジアの数カ国を除けば，韓国に次ぐ順位で，日本人もよくお酒を飲む国民ではある。ただ，週に3回以上お酒を飲む人の比率は，日本人の成人男性の場合34.0％，女性は7.4％で，昼間からビールやワインを飲んで仕事をし，食事とお酒はセットと考えているヨーロッパの人々とはやはり比較にならない。

飲むお酒にも国ごとの特色がある。フランス人はワイン，チェコやドイツの人はビール，韓国の人はソジュ（焼酎）と，それぞれ伝統のある自国産のお酒をよく飲むが，日本人はいろんなお酒をたしなむ。日本伝統のお酒といえば日本酒だが，そのシェアは年々下降し，今ではわずか6.7％（2014），日本人にもっともよく飲まれているのはビールだが，発泡酒などの登場もあって年々シェアを下げ，近年は焼酎やリキュール系のお酒の消費が伸びて

## 世界の成人１人あたりアルコール消費量（2011）〈資料：WHO〉

| | 合計 | ビール | ワイン | 蒸留酒 | その他 |
|---|---|---|---|---|---|
| 1 モルドバ | 18.22 | 4.57 | 4.67 | 4.56 | 4.56 |
| 2 チェコ | 16.45 | 8.51 | 2.33 | 3.59 | 2.02 |
| 4 ロシア | 15.76 | 3.65 | 0.10 | 6.88 | 5.13 |
| 13 韓国 | 14.80 | 2.14 | 0.06 | 9.57 | 3.03 |
| 16 フランス | 13.66 | 2.31 | 8.14 | 2.62 | 0.59 |
| 18 イギリス | 13.37 | 4.93 | 3.53 | 2.41 | 2.90 |
| 23 ドイツ | 12.81 | 6.22 | 3.15 | 2.30 | 1.14 |
| 44 オーストラリア | 10.02 | 4.56 | 3.12 | 1.16 | 1.02 |
| 57 アメリカ | 9.44 | 4.47 | 1.36 | 2.65 | 0.96 |
| 62 ブラジル | 9.16 | 3.36 | 0.33 | 2.49 | 2.98 |
| 70 日本 | 8.03 | 1.72 | 0.29 | 3.37 | 2.65 |
| 77 タイ | 7.08 | 1.75 | 0.02 | 4.69 | 0.62 |
| 96 中国 | 5.91 | 1.50 | 0.15 | 2.51 | 1.75 |
| 120 ケニア | 4.44 | 0.02 | 0.51 | 0.55 | 3.36 |
| 173 インドネシア | 0.59 | 0.06 | 0.00 | 0.00 | 0.53 |
| 188 イエメン | 0.02 | 0.00 | 0.00 | 0.00 | 0.02 |

50位以下のほとんどは飲酒習慣のないイスラム系の国々である。
純アルコール換算ベースでのアルコール消費量である。
（単位：L）

## 都道府県別各酒類消費数量上位５（2015）〈資料：国税庁〉

| 清酒 | | |
|---|---|---|
| 1 | 新潟 | 12.6 |
| 2 | 秋田 | 9.2 |
| 2 | 石川 | 9.2 |
| 4 | 山形 | 8.0 |
| 4 | 福島 | 8.0 |
| 全国平均 | | 5.4 |

| 焼酎 | | |
|---|---|---|
| 1 | 鹿児島 | 23.4 |
| 2 | 宮崎 | 18.9 |
| 3 | 大分 | 10.6 |
| 4 | 熊本 | 9.1 |
| 5 | 福岡 | 8.2 |
| 全国平均 | | 4.5 |

| ビール | | |
|---|---|---|
| 1 | 東京 | 44.5 |
| 2 | 大阪 | 31.7 |
| 3 | 京都 | 28.8 |
| 4 | 新潟 | 27.7 |
| 5 | 北海道 | 27.2 |
| 全国平均 | | 25.7 |

| ワイン | | |
|---|---|---|
| 1 | 東京 | 9.8 |
| 2 | 山梨 | 8.3 |
| 3 | 長野 | 4.0 |
| 4 | 大阪 | 3.8 |
| 4 | 京都 | 3.8 |
| 全国平均 | | 3.6 |

（単位：L）

いる。

また，各地方にそれぞれの風土や暮らしに根付いた酒文化が見られるのも日本の特色だ。成人1人あたりの日本酒の消費量は新潟県が全国第1位で，秋田・石川・山形・福島と続き，東北から北陸にかけての地方で好まれている。日本酒の原料といえばもちろん米だが，これらの県が日本を代表する米どころであることが大きな理由だろう。

焼酎は鹿児島県が第1位で全国平均の5.2倍，上位には宮崎・大分・熊本など九州地方の県が並ぶ。しかし，これらの県は日本酒・ビール・ワインなど他の酒類の消費量の全国順位がすべて最下位付近，九州が焼酎王国と呼ばれるのも頷ける。かつては九州以外の人々には飲まれることが少なかった焼酎だが，1980年頃からチュウハイなど焼酎を使った新しいカクテルが大衆居酒屋を中心に若者の間に広まり，さらに，2000年代に入ると，鹿児島の芋焼酎や大分の麦焼酎などブランド化された本格焼酎が人気を高め，近年の消費量は日本酒を上回っている。

ビールやワインなど洋酒類の消費傾向は，焼酎や日本酒のように地域的な偏りは少ないが，その中でも東京・大阪・京都など都市部の需要が高い。また，ブドウ生産量が全国1位2位の山梨県と長野県が，ワイン消費量でも上位にランキングされている。

最後に誰もが知っているお酒に関する言葉をいくつか。

「酒は飲んでも飲まれるな」「飲んだら乗るな,飲むなら乗るな」なお，「酒は百薬の長」という格言があるが，実はこの後に「されど万病のもとなり」と続くこともぜひ知っておいてほしい。

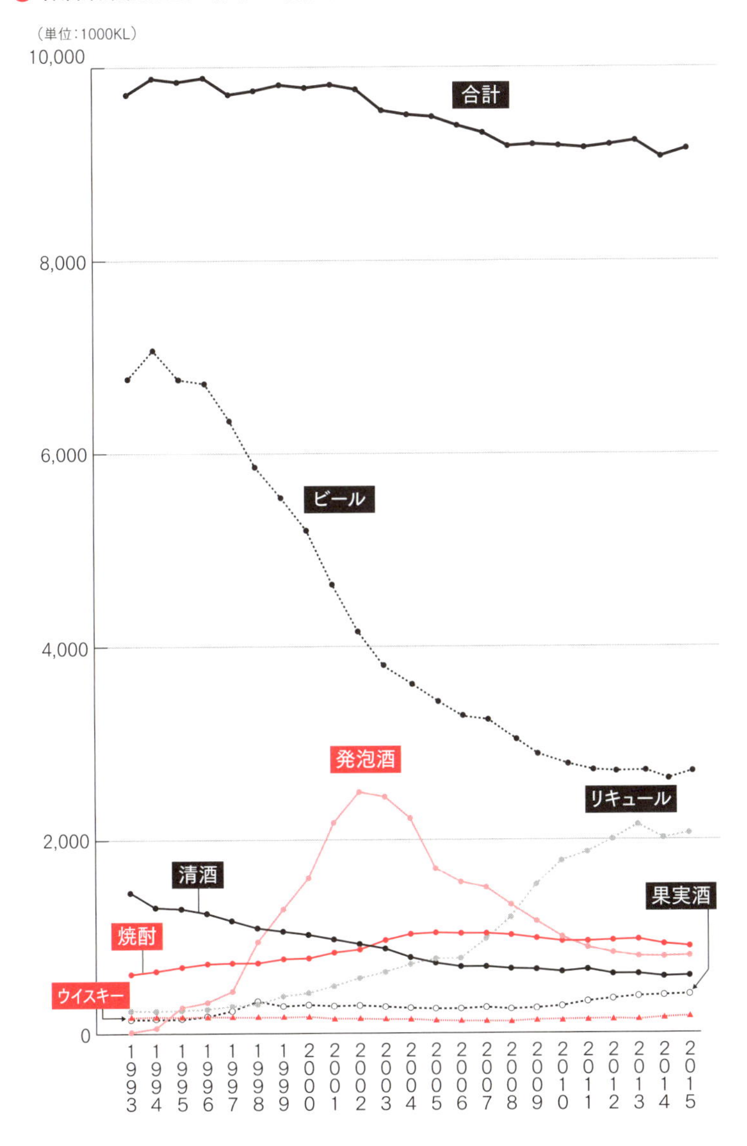
各酒類消費数量の推移
〈資料：国税庁『酒のしおり』〉
（単位：1000KL）
10,000
8,000
6,000
4,000
2,000
0
合計
ビール
発泡酒
リキュール
清酒
果実酒
焼酎
ウイスキー
1993
1994
1995
1996
1997
1998
1999
2000
2001
2002
2003
2004
2005
2006
2007
2008
2009
2010
2011
2012
2013
2014
2015

4

# 日本人1人あたり，1日に消費する石油

- 1日あたりの石油消費量は，日本全体ならどれくらいだろうか？
- 1合（150g）の米を生産するために石油はどれくらい必要か？

## ▶4.7L（牛乳パック2.4個分） 外務省統計

人類が1年間に消費する石油の量（2016）は約44億t，これは浜名湖の貯水量の約12倍に相当する。そのうちの40%はアメリカと中国の2カ国で消費され，日本は世界第4位，年間約1億8400万tを消費している。1日あたりに換算すると約50.4万t（約59.2万KL）で30万t級タンカー2隻分，国民1人あたりでは1日4.7L，牛乳パック2.4個分の量である。国民1人あたりの石油消費量は，シンガポールやサウジアラビアが群を抜いているが，この2国の国内消費が多いのは，石油精製など産業用の需要が多いためで，第4位の韓国もこの傾向があり，実質的に国民生活に関与した1人あたりの石油消費量は欧米諸国や日本が大きい。

石油の用途として身近なところで思い浮かぶのはまずガソリンだが，日本では石油の4割が自動車・船舶・飛行機などの動力源，4割が企業や家庭の熱源，残りの2割が化学繊維・プラスチック製品・タイヤなどの石油製品の原料として使われている。

農業にも石油は欠かすことができない。トラクターやコンバインなどの農業機械はガソリンやディーゼル燃料など石油燃料によって稼働し，種苗・肥料・農薬などの資材，農機具，諸設備の製造にも石油は不可欠である。資源エネルギー庁の統計をもとに試算すると，1合（150g）の米を生産するには約50ccの石油が必要である。トマトなど野菜の促成栽培の場合も，1a規模のハ

## 石油の国別消費量（2015）

〈資料：外務省 BP 世界エネルギー統計〉

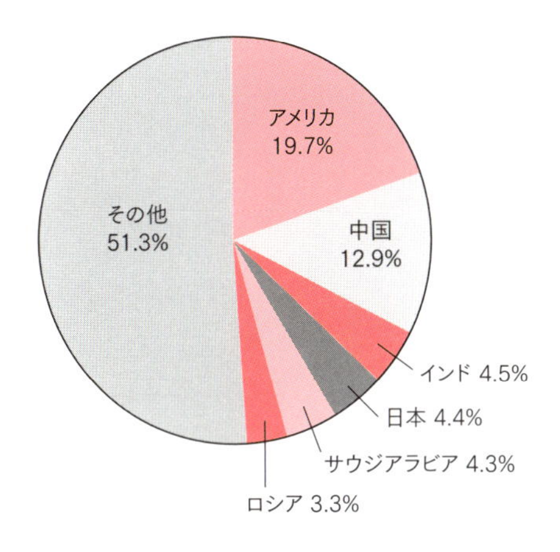


## 1人あたりの1日の石油消費量（2015）

〈資料：外務省 BP 世界エネルギー統計等より算出〉

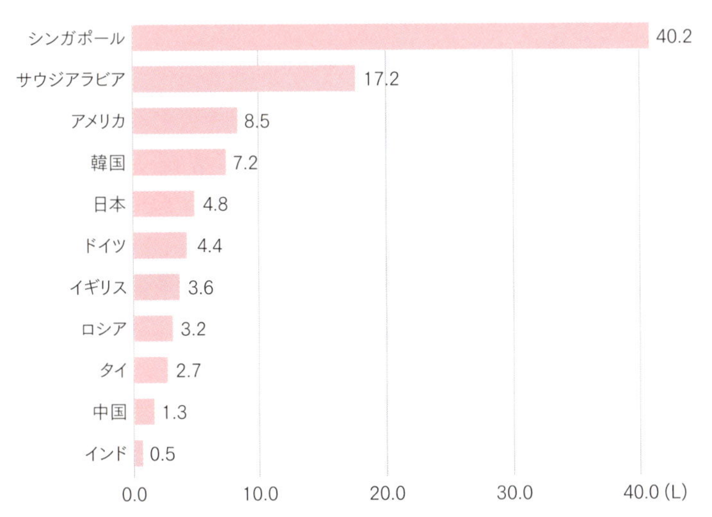

ウスなら暖房用に年間6KL，ドラム缶30本分の重油が使われる。1個200gのトマトには石油が約60cc使われている計算となる。我々は毎日石油で作られた農産物を食べているわけだ。もちろん，漁業や畜産業にも石油は欠かせない。

このように国民の日々の生活や国の産業・経済は，今や石油の存在が前提となって成立しており，日本はそれらの石油はほぼすべてを海外からの輸入に依存している。日本が輸入する石油の8割以上はサウジアラビア，UAE（アラブ首長国連邦）など中東諸国で産出するものが占めている。

中東から日本まで膨大な量の石油を運ぶのは，VLCC（Very Large Crude Oil Carrier）と呼ばれる巨大タンカーである。30万t級のVLCCの場合，全長は約330 mで全幅が約60 mあり，甲板の広さはサッカーコート約3面分，一度に日本の1日の消費量のほぼ半分にあたる34万KLの石油を運ぶことができる。日本へ石油を運ぶタンカーは1年に延べ900隻にのぼる。中東のペルシャ湾から日本までの距離は約1万2000km，往復には50日ほど必要なので，この瞬間にも日本へ石油を運ぶため，120隻を超えるタンカーがインド洋や東南アジアの海域を航行している。

なお，石油は新潟県や秋田県など国内でも生産されている。その量は年間62万KL（2014），VLCCなら2隻分と聞いてもそれが多いのか少ないのか判断しづらいが，見方を変えると国内消費のたった1日分にすぎない。

## 日本国内における石油の消費割合 〈資料：石油情報センター〉

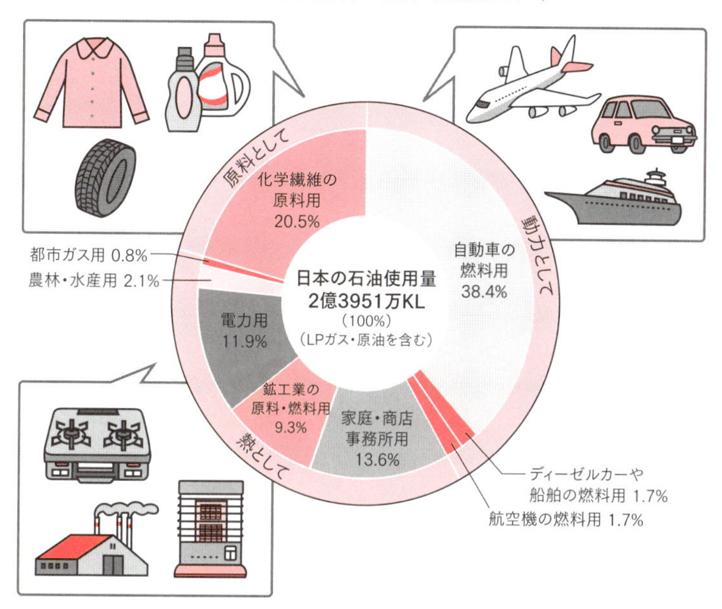


## 日本の石油の輸入先（2016） 〈資料：石油連盟〉

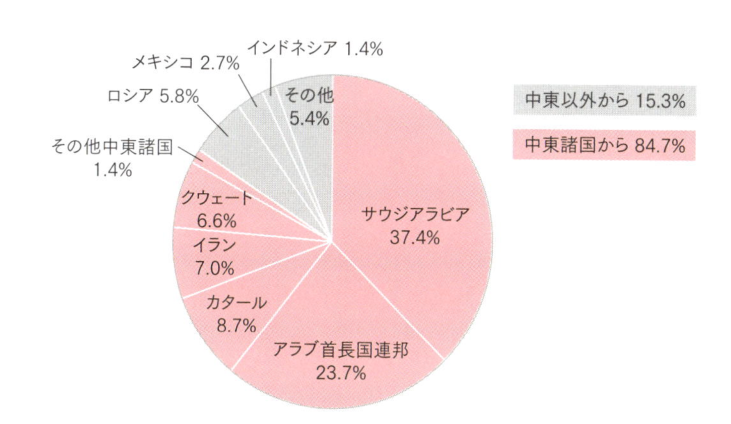

# 日本人１人あたり，1日に排出するごみの量

- 世界のごみ焼却場の７割が日本にあり，日本のごみ焼却量が世界一のワケは何だろう？
- 「循環型社会」ってナニ？「３Ｒ活動」ってナニ？

## ▶939g 環境省統計

2015年，日本国内で発生したごみの量は4398万t，1人1日あたり939gと聞くと案外少ないようにも思えるが，その総量は年間では東京ドーム118杯分，1日あたりならごみ収集車6万台分である。日本は戦後の経済成長によって，豊かな暮らしと多様な生活を実現したが，その代償として膨大な量のごみが発生するようになった。

それでも，ごみの総排出量や1人あたりの排出量を見ると，日本は先進国の中ではむしろ少ないように思える。しかし，日本のごみ問題は諸外国とは大きな違いがある。それはごみ処理の方法だ。日本では収集したごみの8割ほどを焼却処分しているが，実は，日本ほどごみを燃やしている国は世界中どこにもない。国土が広いアメリカや中国では、ごみはそのまま埋め立て処分することが基本で，ヨーロッパの主要国もごみの焼却率は10～30%にすぎない。焼却処分するとごみの減量という面では一定の効果はあるが，焼却することによってダイオキシンなど人体や環境に有害な物質を出す場合もあり，焼却は個体が気体に変わるだけでむしろ危険だと指摘する専門家もいる。さらに，焼却のためには大量のエネルギーを必要とすることも見過ごせない。

ごみ問題でもっとも重要なことは，ごみ処分の方法より，まずごみを出さないことである。ごみを出すということは資源やエネ

## ごみ排出量の国別比較（2014）　〈資料：OECD〉

○年間総排出量

| | |
|---|---|
| アメリカ | 22,760万t |
| 中国 | 17,081万t |
| ロシア | 8,056万t |
| ブラジル | 5,790万t |
| 日本 | 4,487万t |
| メキシコ | 4,210万t |
| イギリス | 3,113万t |
| 韓国 | 1,779万t |

○1人1日あたりの排出量

| | |
|---|---|
| アメリカ | 1,952g |
| ドイツ | 1,701g |
| ロシア | 1,539g |
| イギリス | 1,326g |
| 韓国 | 979g |
| 日本 | 958g |
| ブラジル | 799g |
| 中国 | 343g |

※アメリカ・中国・ロシア・ブラジルは2013年，韓国は2012年の統計

## 国別のごみ処理状況　〈資料：環境省〉

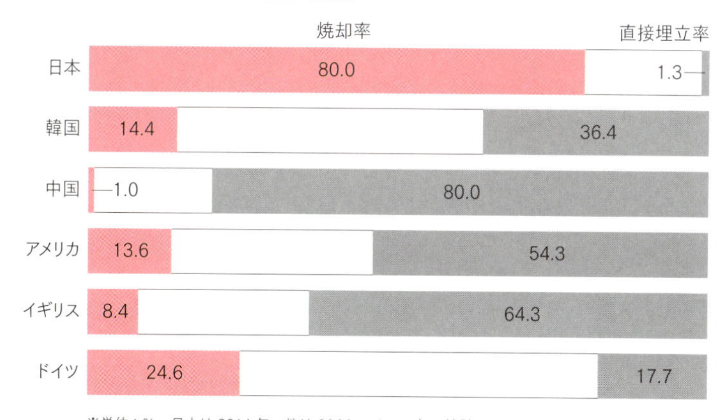


※単位：%　日本は2014年，他は2003～2005年の統計

日本は直接埋立率は低いが，清掃工場の焼却残灰や不燃物処理センターなど中間処理後の最終ごみは埋め立て処分をしている。

「環境先進国」と呼ばれるドイツのごみ処理は資源化が原則で，日本では燃えるごみとして出される家庭の生ゴミも専用コンテナで回収して堆肥化するなど一般廃棄物のリサイクル率は約60%，日本のほぼ3倍である。

ルギーを消費し続けることであり，消費を抑え，ごみを減らし，使えるものは何度でも使うことにこそ我々はもっとも取り組まねばならない。日本は「大量生産・大量消費・大量廃棄型社会」から限りある資源を効率的に利用し，持続可能な形で循環させながら利用する「循環型社会」への転換が求められている。

①リデュース（Reduce）→ 減らす

②リユース（Reuse）→ 再使用する

③リサイクル（Recycle）→ 資源として再利用する

循環型社会の実現のため，家庭でも取り組める活動として，今，全国ではこのような「3R活動」が進められている。3Rのうち，リサイクルはその活動の歴史も古く，多くの人はその言葉や意味をよく知っている。しかし，リデュースやリユースという言葉や意味をほとんどの人は知らないのではないだろうか。実は，流通や再加工に手間やコストのかかるリサイクルより，リデュースやリユースこそ，今もっとも重要と考えられている。リデュースとは余分なごみを出さないこと。具体的には，紙コップや割り箸など使い捨てのものを使わなかったり，詰め替え用洗剤を使ったりすることだ。リユースとは繰り返して何度でも使うことで，ヨーロッパではペットボトルの使用が減り，洗浄して何度でも使えるビンが主流になっている。

最近は，リヒューズ（Refuse）を加えた「4R活動」も注目されている。リヒューズとはごみになるものを拒否すること，例えばレジ袋や商品の過剰包装を断ることである。日常生活の中で，我々が取り組めることはまだたくさんある。

## ごみの総排出量とリサイクル率の推移 〈資料：環境省〉

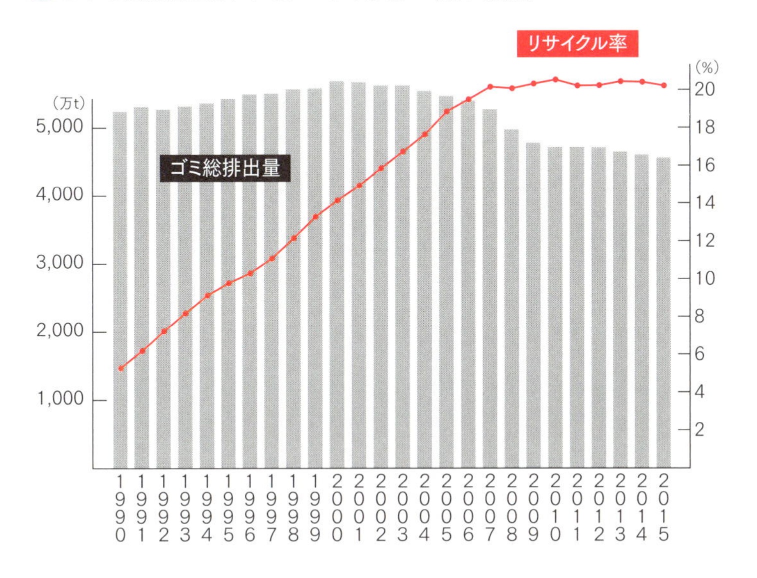


## 国内のごみの処理状況（2015） 〈資料：環境省〉

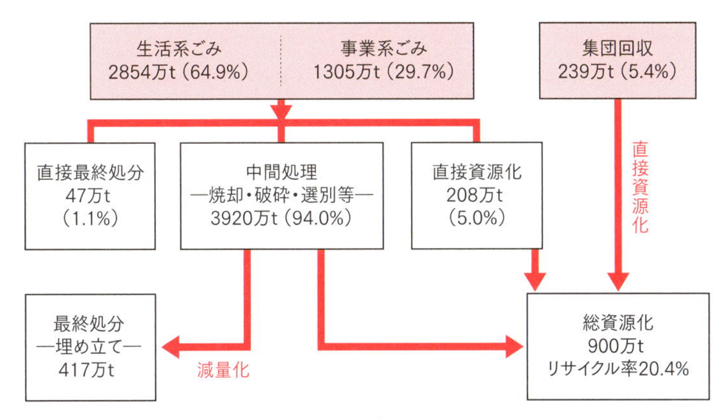

# 日本の女子高生が1日にスマホを使う時間

- 中高生の必須ツールのスマホ，これにはどのような功罪が？
- スマホ依存が引き起こす健康障害とは？

## ▶6時間06分

デジタルアーツ調査

「時間なんてもうわからないほど触ってますw　いじらないのは寝るときくらいw　朝起きてすぐ触り始めて寝るギリギリまで触ってます（´・_･`）お風呂にも持ってきますw」

これはある女子高生のネットへの書き込みだが，情報セキュリティメーカー「デジタルアーツ」の調査によると，女子高生は1日あたり平均6時間6分，その1割以上は1日12時間以上スマホを使っているという。授業中もスマホを使うと答えた生徒は約50%，ノート代わりに黒板を撮影する場合もあるが，授業中でもLINEのチェックは欠かさない。

2016年の内閣府の調査では，高校生の95%，中学生でも52%は自分のスマホを持っている。小学生についても防犯目的や連絡用にキッズ用スマホや携帯を持たせる親が増えている。さらに，NPO法人e-Lunchの調査によると，2～6歳の幼児でさえ，その51%は日常的にスマホに触れており，スマホ使用の低年齢化が加速している。

その是非はともかく，この現象は時代の趨勢だろう。ただ，スマホには，使い方を誤るとトラブルや犯罪に巻き込まれたり，日常生活に支障が出たりする危険性が潜んでいることも認識しておかねばならない。今や，中高生にとってスマホは友人との必須のコミュニケーションツールだが，メッセージを読んだら3分以内

## 子どもたちのスマホ所有率の推移 〈資料：内閣府〉

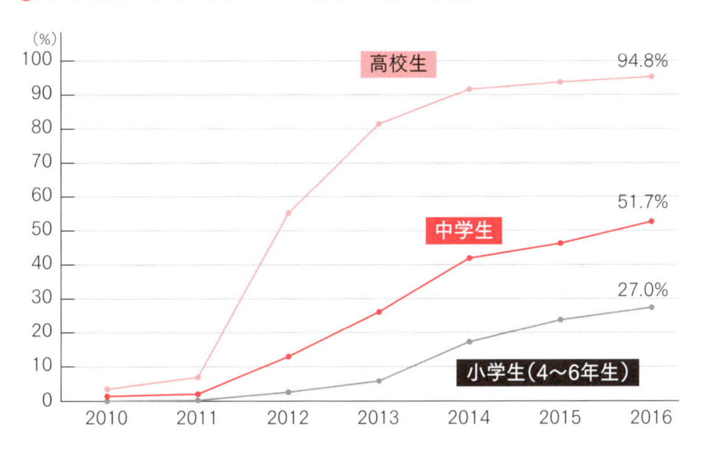


## 使用頻度が高いスマホアプリ(2015) 〈資料：デジタルアーツ〉

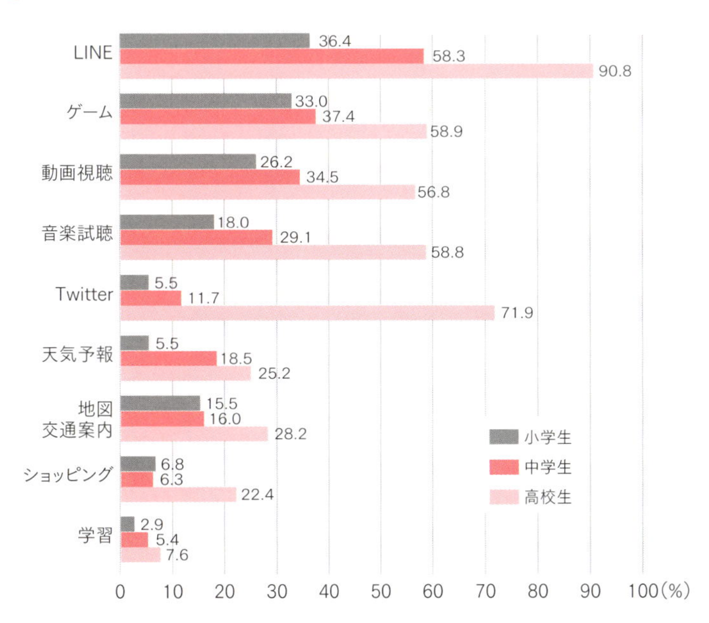

に返信，夜12時まで必ず起きていることというような暗黙のルールがあるという。もし，LINEのメッセージに返信をしなかったり，遅れたりすると，それが仲間はずれやいじめの原因にもなる。高校生の場合，５人に１人がSNSがらみのトラブルを経験していると答えており，女子中高生が児童ポルノなどの性犯罪の被害者となる事例も少なくはない。

スマホ依存が様々な健康障害を引き起こすことも明らかになっている。2015年の学校保健調査によると，裸眼視力が1.0未満の高校生の割合が63.7%に達し，2010年の調査時から10%近くも増えている。専門家はスマホの長時間利用が視力低下の一因と見ている。スマホ老眼，スマホ難聴，スマホ焼け，スマホ酸欠，スマホ太り，スマホ首，スマホ巻き肩，スマホ顔，スマホ腱鞘炎，スマホ鬱（うつ），それぞれの詳細はスマホでお調べいただきたいが，どれもほんの数年前から使われるようになった新語であり，スマホの使い過ぎによる生活習慣病である。よくもまあこれだけ多くのスマホ病があるものだ。

スマホは若者に限らず，幼児からお年寄りまで幅広い層に普及しており，何をするにも便利で，今や現代社会に欠かせない。本来，スマホは我々の生活を豊かにするために開発されたツールであり，機能やアプリを自分のライフスタイルに合わせて選択して有効に活用すればスマホ生活は楽しく快適なものとなる。スマホを使いこなすのはよいが，スマホに使われてしまうのは本末転倒，スマホのメリットとデメリットを今一度しっかり認識しておきたい。

## ● 子どもたちの１日あたりのスマホ利用時間 〈資料：デジタルアーツ〉

2017.1 調査　単位：%

| | 1時間未満 | 1～3時間 | 3～6時間 | 6～9時間 | 9～12時間 | 12～15時間 | 15時間以上 | 平均（時分） |
|---|---|---|---|---|---|---|---|---|
| 小学生男子 | 57.3 | 31.1 | 6.8 | 3.9 | 1 | 0 | 0 | 1:54 |
| 小学生女子 | 62.1 | 27.2 | 9.7 | 0 | 0 | 0 | 0 | 1:48 |
| 中学生男子 | 35.9 | 38.8 | 20.4 | 3.9 | 0 | 0 | 0 | 2:32 |
| 中学生女子 | 45.6 | 37.9 | 14.6 | 1.9 | 0 | 0 | 0 | 2:00 |
| 高校生男子 | 4.9 | 38.8 | 31.1 | 13.6 | 5.8 | 2.9 | 2.9 | 4:32 |
| 高校生女子 | 2.9 | 19.4 | 42.7 | 14.6 | 9.7 | 6.8 | 3.9 | 6:06 |

※小学生は４～６年生

## ● 高校生が経験したスマホトラブル（2015） 〈資料：デジタルアーツ〉

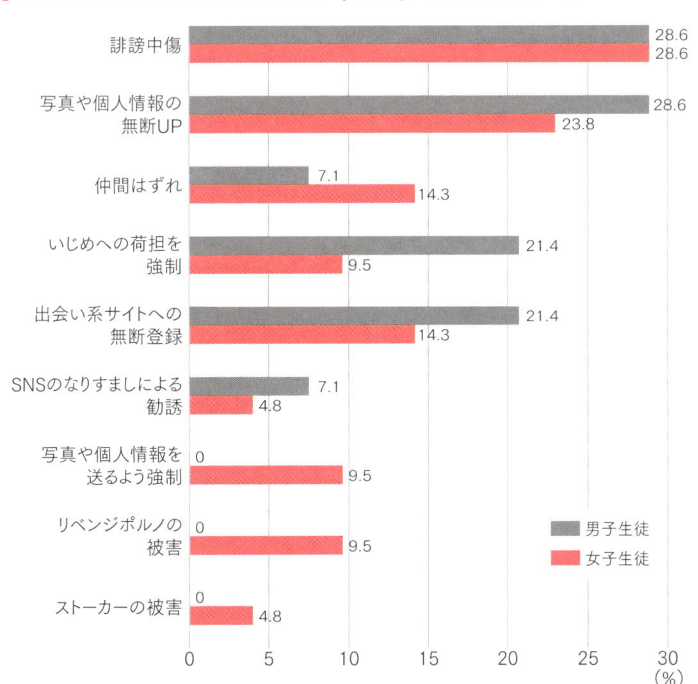

## 7 日本人の1日の平均睡眠時間

- 日本人は，平均6時37分に起き，23時15分に就寝する。
- 日本人の睡眠時間が少なくなっているという。それはなぜ？

▶ **7時間39分** NHK調査

NHKが5年ごとに実施している国民生活時間調査（2015年）によると，日本人の平均睡眠時間は，曜日別では平日が7時間15分，土曜日7時間42分，日曜日8時間3分となっており，平日の睡眠不足は休日で回復というパターンが顕著に表れている。年代別では働き盛りの40代・50代がもっとも眠らず，平日の睡眠時間は7時間に満たない。男女別ではどの年代も女性のほうが5～15分ほど睡眠時間が少ない。地域別では地方より都市部の人たちの睡眠時間が少ない。

世界の中では，OECDの調査（2011年）によると日本の睡眠時間は加盟国中なんと最下位，意外にも日本人は世界でもっとも眠らない国民なのだ。日本人が眠らないのは，日本では「徹夜で勉強する」とか「深夜まで仕事する」とか，睡眠時間を削って頑張ることが美徳とされる風潮があり，日本人の学習時間や労働時間が外国よりも長いからだと指摘する人がいる。昔から「日本人は働き過ぎる」とは確かに言われ続けてきたことである。しかし，2016年の日本人の年間労働時間は1713時間，高度経済成長期の1960年代と比較すると50年間で約500時間も短縮しており，現在はアメリカよりも短く，世界平均を下回っている。一方，1960年の日本人の平均睡眠時間は8時間13分，高度経済成長期には，現在より1日あたり2時間ほど長く働いていたにもかかわ

## 世界の国々の平均睡眠時間 〈資料：快適 life〉

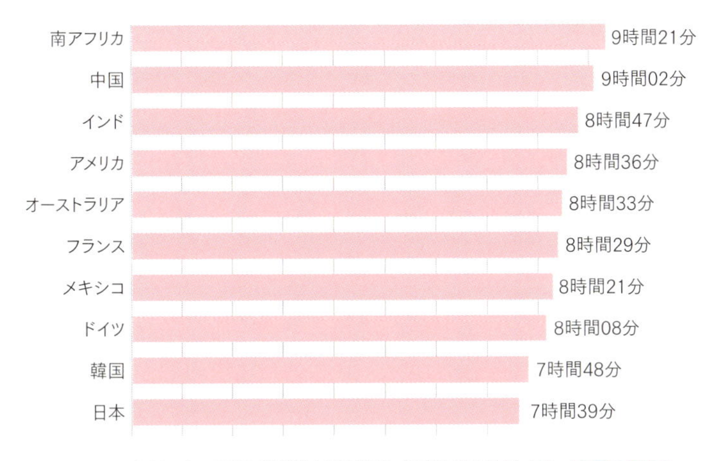


※ 2011 年，OECD（経済協力開発機構）が加盟国等を対象に行なった国際比較調査

## 年代別の平均睡眠時間（2015） 〈資料：NHK 国民生活時間調査〉

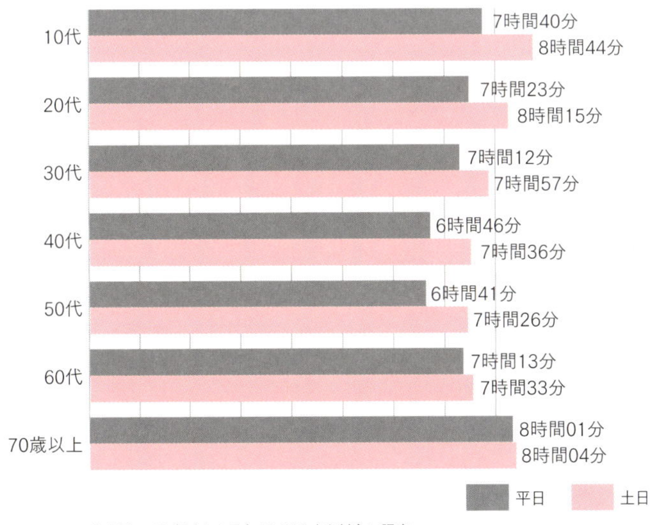


※全国の 10 歳以上の男女 12,600 人を対象に調査

らず，睡眠時間は40分ほど長かった。よく働くので眠る時間が少なくなるというのは，そのような場合もあるだろうが，必ずしも的を射ているとはいえない。

日本人の睡眠時間が少なくなってきたのは実は近年のことなのだ。国民生活時間調査は1960年代から実施されているが，当時は3分の2の人たちは午後10時までに床に就いていた。しかし，就寝時刻は徐々に遅くなり，90年代半ば以降は午後10時になってもまだ4分の3の人は起きている。

日本人の就寝時刻が遅くなったのは，日本人の日常生活が夜型化してきたことが最大の原因と考えられる。コンビニやファミレスの24時間営業は今や当たり前，地下鉄など大都市の交通機関は日付が変わった深夜も運行しており，それに応じて深夜勤務の職種も増えている。ネット社会の進化も生活の夜型化に拍車をかけている。都道府県別の統計を見ると，就寝時刻が早いのは東北地方の人たちで，遅いのは大都市圏の人たちだ。それはそのまま東北地方と大都市圏に暮らす人の睡眠時間の差に繋がっており，地方より都会で暮らす人たちのほうが，夜型化がより進行していることは想像に難くない。

睡眠不足になると，集中力やパフォーマンスが低下し，さらに体調を崩す原因ともなり，企業の生産効率の低下，時には労働災害や交通事故にも繋がり，それらによって生じる日本の経済損失は年間3兆5000万円にもなるという試算がある。また，日本の0～3歳児の睡眠時間は11時間37分という調査報告があり，今や日本の赤ちゃんも世界一眠らない。日本には「寝る子は育つ」という格言があるが，やはり，日本人はもっと眠るべきなんだろう。

## 日本人の睡眠時間の推移 〈資料：NHK 国民生活時間調査〉

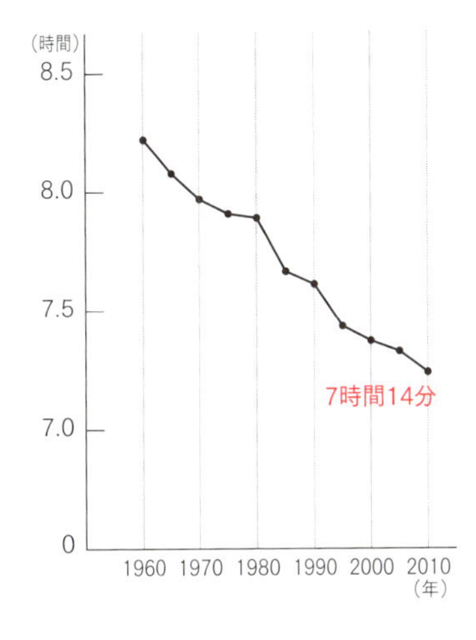


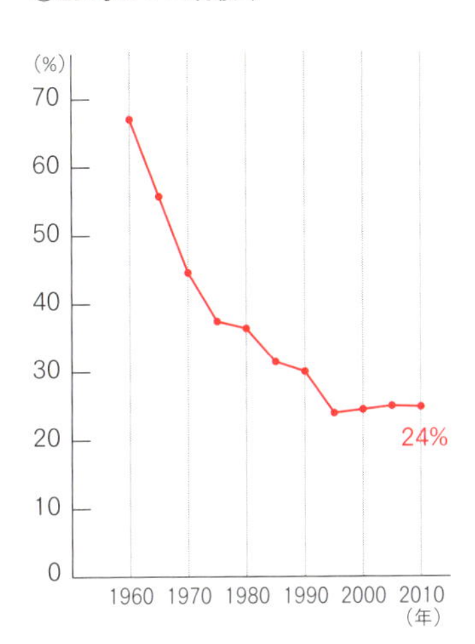


## 都道府県別の睡眠データ（2016）〈資料：総務省社会生活基本調査〉

| 平均就寝時刻（2016） | |
|---|---|
| ① 秋田県 | 22 時 34 分 |
| ② 青森県 | 22 時 39 分 |
| ③ 岩手県 | 22 時 44 分 |
| ④ 山形県 | 22 時 46 分 |
| ⑤ 福島県 | 22 時 47 分 |
| （全国平均） | 23 時 15 分 |
| ㊶ 奈良県 | 23 時 22 分 |
| ㊹ 神奈川県 | 23 時 27 分 |
| ㊺ 大阪府 | 23 時 35 分 |
| ㊺ 東京都 | 23 時 35 分 |
| ㊼ 京都府 | 23 時 37 分 |

| 平均睡眠時間（2016） | |
|---|---|
| ① 秋田県 | 8 時間 02 分 |
| ② 青森県 | 7 時間 59 分 |
| ③ 山形県 | 7 時間 56 分 |
| ④ 岩手県 | 7 時間 54 分 |
| ⑤ 島根県 | 7 時間 53 分 |
| （全国平均） | 7 時間 40 分 |
| ㊶ 東京都 | 7 時間 35 分 |
| ㊶ 愛知県 | 7 時間 35 分 |
| ㊺ 神奈川県 | 7 時間 33 分 |
| ㊻ 千葉県 | 7 時間 32 分 |
| ㊼ 埼玉県 | 7 時間 31 分 |

※ OECD，総務省，NHK の調査結果は，それぞれの調査方法や期日が異なるため，各データに若干の違いがある。

8

# 日本人の1日の平均食事時間

▶男性 **111分** ▶女性 **117分** 総務省統計

食欲は人間の三大欲求の一つであり，いつの時代でもどこの国でも人は食べることが好きだ。フランス人は毎日ほぼ決まった時間に，家族や友人と楽しみながら食事をし，スペイン人は夕食より昼食をメーンに，ワインやデザートも楽しみながら2時間以上もかけて食事をするという。ファーストフード文化が発達したアメリカの人々は，食事時間は短いが，食べる量が半端じゃなく，国民1人あたりの1日の摂取カロリーは約3,700kcal，日本人の約1.4倍の量を食べる。

総務省の社会生活基本調査によると，日本人の1日の食事時間はおやつなど間食も含めると2時間弱になり，世界の中では意外と上位だ。ただ，年代別に見ると，男女とも若い世代の人たちの食事時間が短く，高齢者ほど長くなる傾向があり，10～20分程度で食事を済ませてしまう若者が多いという。

20～40代の男性と20代の女性の約25%が日常的に朝食をとっていないという報告もある。男性は出勤前に食事の時間がない，女性はダイエットのためというのがその理由だそうだが，歴史的に見ると日本に1日3食が習慣化したのは江戸時代以降，有識者の中には食事回数はその人の生活習慣に合わせればよいと主張する人もいる。回数よりも内容が大切だという考え方である。

あと，テレビを見ながら食事をするのは日本人の特徴だそうだ。

## 食事時間の国際の比較 〈資料：社会実情データ図録〉

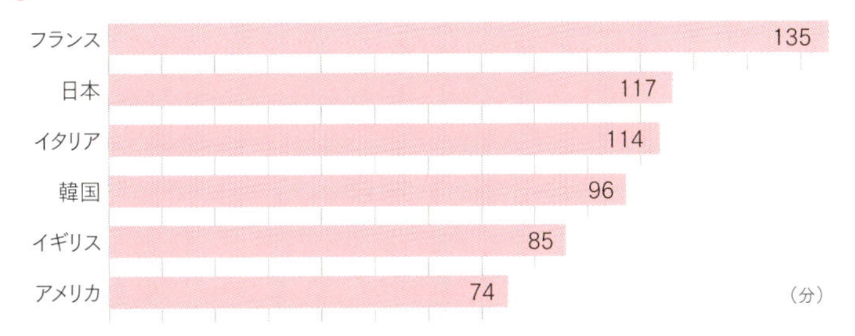


## 日本人の平均食事時間（2011） 〈資料：総務省社会生活基本調査〉

○分類別食事時間（分）

| | 男 | 女 |
|---|---|---|
| 朝食 | 24 | 26 |
| 昼食 | 34 | 35 |
| 夕食 | 42 | 44 |
| 夜食 | 1 | 0 |
| 軽飲食 | 10 | 12 |
| 合計 | 111 | 117 |

○年代別食事時間（分）

| | 男 | 女 |
|---|---|---|
| 0 ～ 14 歳 | 1.32 | 1.32 |
| 15 ～ 24 歳 | 1.21 | 1.27 |
| 25 ～ 34 歳 | 1.23 | 1.32 |
| 35 ～ 44 歳 | 1.26 | 1.35 |
| 45 ～ 54 歳 | 1.33 | 1.35 |
| 55 ～ 64 歳 | 1.42 | 1.43 |
| 65 ～ 74 歳 | 1.53 | 1.56 |
| 75 歳以上 | 2.03 | 2.00 |

## 日本人の朝食欠食率 〈資料：厚生労働省国民栄養健康調査〉

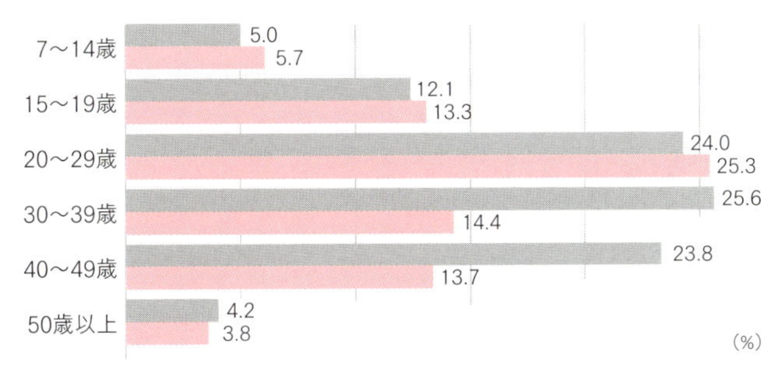


※ 7 ～ 19 歳は 2012 年，20 歳以上は 2015 年の調査

9

# 日本人の1日の平均入浴時間

▶男性 約27分42秒
▶女性 約32分55秒 ウェザーニュース調査

ある報道機関が全国の3万4000人を対象に入浴に関する調査をしたところ,「あなたにとってお風呂とは？」という質問に対し,「リラックスすること」「疲れをとること」などの回答が上位を占めた。欧米では入浴の習慣はあっても,それは歯を磨いたり,顔を洗ったりするのと同じ衛生行為の一つにすぎないが,日本人にとって,風呂は単に体を洗うだけの場ではなく,1日の疲れをとるリフレッシュの場であり,のんびりリラックスする場なのである。

また,この調査によると,日本人の1日の平均入浴時間は男性の27分42秒に対し,女性は平均32分55秒で,女性の方が男性よりも5分近くも長い。女性はシャンプーやトリートメントなど洗髪に男性より時間をかけることが大きな理由と思われる。年代別の平均時間では大きな差異は見られないが,ただ,若者世代には,湯船を使わずシャワーだけで短い時間で入浴を済ませる人が増えている一方,スマホを風呂場に持ち込み,入浴中に長時間SNSやゲームを楽しむ人が若い女性を中心に多くなっているという。

入浴のスタイルには個人差はあるものの,日本の住宅には必ず浴室が備わっており,就寝前に熱めの湯にゆったりつかって,心身を癒やすというのは日本の文化であり,調査では日本人の9割は風呂が好きだと答えている。何せ,日本は鹿や猿さえ温泉に入る国なのだ。ただ,日本の風呂文化に戸惑う外国人が多いという。

## ● 1 週間の入浴頻度（2013） 〈資料：（株）バルク〉

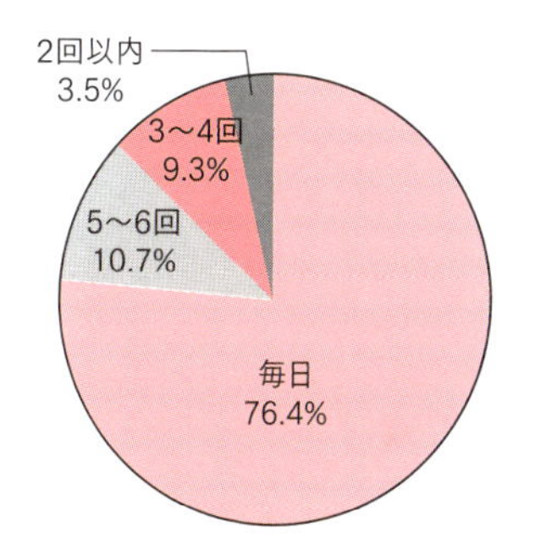


入浴の頻度を季節で見ると，毎日入浴する人の割合は冬の70％に対し，夏は約80％と10％ほど高くなる。ただ，夏はシャワーで済ませる人が多く，湯船につかる割合は冬のほうが高く，入浴時間も長い。

## ● 1 回の入浴時間（2012） 〈資料：（株）ウェザーニュース〉

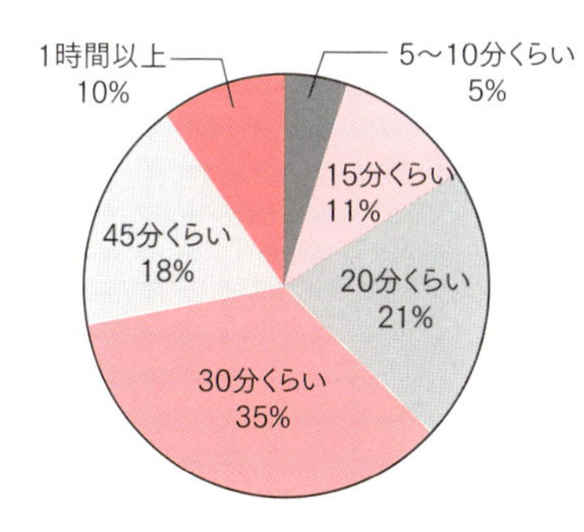


地方別に見ると平均入浴時間がもっとも長いのは青森県の約36分，富山県が約35分と続く。北海道も約33分，冬が長い北国の人々は風呂にかける時間が長い。
逆に南の沖縄県は約24分，鹿児島県も約28分で，南国の人々は長風呂は苦手なようだ。

## ● 外国人が日本の風呂で驚いたこと

○お湯を替えずに，家族で同じお湯を使うのが信じられない。
○夏でも熱いお風呂につかるのに驚いた。
○いすに座って身体を洗うこと。
○朝ではなく，なぜ夜に風呂に入るの？
○父親が自分の娘と一緒にお風呂に入るなんて絶対変だよ。
○お風呂とトイレと洗面所が分かれているのが便利。

—日本の常識は必ずしも世界の常識ではない—

COLUMN 3

# 日本人の１日の生活時間

―NHK「日本人の生活時間調査 2015」―

（非行為者を含む全体の平均時間を「時：分」で表示）

○中学生・高校生

| | 平日 | 土曜 | 日曜 |
|---|---|---|---|
| 起床在宅 | 5：48 | 8：36 | 8：48 |
| 睡眠 | 7：24 | 8：01 | 8：36 |
| 食事 | 1：22 | 1：31 | 1：34 |
| 学業 | 9：22 | 5：20 | 4：58 |
| 通学時間 | 1：10 | 0：36 | 0：21 |
| 家事 | 0：09 | 0：36 | 0：40 |
| レジャー | 1：13 | 2：55 | 3：24 |
| テレビ | 1：32 | 1：53 | 1：44 |
| 新聞 | 0：01 | 0：01 | 0：01 |
| 読書 | 0：11 | 0：13 | 0：18 |

○高齢者（70 歳以上）

| | 平日 | 土曜 | 日曜 |
|---|---|---|---|
| 起床在宅 | 11：36 | 11：42 | 11：55 |
| 睡眠 | 8：00 | 8：08 | 8：02 |
| 食事 | 1：57 | 1：57 | 1：56 |
| 仕事 | 1：19 | 1：11 | 0：51 |
| 通勤時間 | 0：07 | 0：05 | 0：03 |
| 家事 | 2：40 | 2：28 | 2：38 |
| レジャー | 1：24 | 1：27 | 1：31 |
| テレビ | 5：23 | 5：33 | 6：01 |
| 新聞 | 0：38 | 0：39 | 0：40 |
| 読書 | 0：13 | 0：11 | 0：12 |

○男性勤労者

| | 平日 | 土曜 | 日曜 |
|---|---|---|---|
| 起床在宅 | 4：56 | 7：45 | 8：30 |
| 睡眠 | 6：55 | 7：31 | 8：07 |
| 食事 | 1：27 | 1：42 | 1：41 |
| 仕事 | 8：56 | 4：10 | 2：36 |
| 通勤時間 | 1：17 | 0：33 | 0：19 |
| 家事 | 0：35 | 1：35 | 1：54 |
| レジャー | 0：59 | 2：26 | 3：26 |
| テレビ | 2：16 | 3：20 | 3：40 |
| 新聞 | 0：10 | 0：15 | 0：12 |
| 読書 | 0：08 | 0：14 | 0：12 |

○女性勤労者

| | 平日 | 土曜 | 日曜 |
|---|---|---|---|
| 起床在宅 | 7：19 | 8：37 | 9：20 |
| 睡眠 | 6：47 | 7：16 | 7：45 |
| 食事 | 1：30 | 1：14 | 1：40 |
| 仕事 | 6：29 | 3：23 | 2：03 |
| 通勤時間 | 0：55 | 0：29 | 0：18 |
| 家事 | 3：09 | 4：14 | 4：28 |
| レジャー | 0：53 | 1：32 | 1：56 |
| テレビ | 2：48 | 3：15 | 3：19 |
| 新聞 | 0：09 | 0：07 | 0：08 |
| 読書 | 0：10 | 0：14 | 0：15 |

※“起床在宅”は睡眠時間を除いた在宅時間。
※“レジャー”はスポーツ，趣味・娯楽としてのネット利用時間を含む。
※“読書”は雑誌・マンガを含む。

# 4章

# 日本各地の1日

# 札幌市が，積雪時の1日（一晩）に除雪する道路

## ▶総延長 5,100km

札幌市雪対策室資料

札幌の平年の降雪量は年間約600cm，これは雪が多いことで知られるキエフ（ウクライナ）やサンクトペテルブルク（ロシア）のほぼ2倍，世界の主要都市の中ではダントツの第1位である。東京ならば，わずか数cmの積雪でも交通が大混乱するが，札幌では10cmや20cm程度の積雪は日常のこと，雪対策が充実しているため市民生活への影響は少ない。札幌市の年間の雪対策費は約200億円，これは地方都市の年間予算に匹敵する金額である。雪対策費のうち，約8割の160億円を道路除雪費が占めている。

札幌では1日の降雪量が10cmを超えると道路の除雪を行なうが，1,000台の除雪車と3,000人の作業員が出動し，翌日の通勤通学や物流に支障がないように，夜間に市内の主要道路のほぼすべてを除雪する。その総延長は札幌－鹿児島の往復分に相当する5,100km，それだけの距離をたった一晩で除雪するわけである。

除雪された雪は，融雪槽や融雪管などの雪処理施設へ運ばれるが，膨大な量の雪は既存の施設だけでは処理し切れない。そのため，河川敷や遊休地を利用して市内の70箇所ほどに雪堆積場が設置され，ダンプトラックで運ばれてきた雪が積み上げられ，積雪期になると，市内のあちこちに巨大な雪山が出現する。集積された雪は，6月頃まで融けず，近年は，この大量の雪を蓄えておいて夏になると冷房に活用する雪冷熱システムの導入が進んでいる。

## 世界と日本の主要都市の年間平均降雪量 〈資料：気象庁他〉

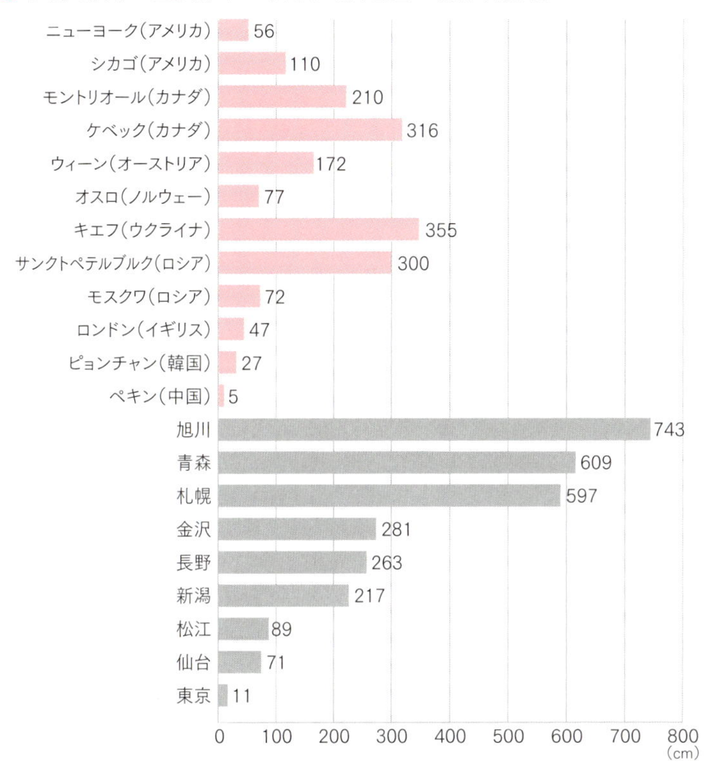


## 札幌の雪データ（1981～2010平均） 〈資料：理科年表〉

○年間降雪量　597cm②
○年間雪日数　125.9日（雪初日10月28日～雪終日4月19日）①
○最深積雪10cm以上の日数　111.9日①
○最深積雪50cm以上の日数　62.0日①
○最深積雪100cm以上の日数　4.9日②
※県庁所在地の中で，年間降雪量と最深積雪100cm以上の日数は青森市が第1位，その他は札幌市が第1位（丸囲みの数字が順位）

# 福島第一原発で，1日に増える汚染水

## ▶約120t（ドラム缶600本分） 東京電力発表

福島第一原発の事故は広島の原爆に比べるとたいしたことはないと発言をした大学教授がいたが，広島型原爆に使われたウラン235の量が約60kgだったのに対し，第一原発の炉内に残るウラン燃料の総量は779tである。衆議院科学技術・イノベーション推進特別委員会は，第一原発から放出された放射性セシウムの量が広島原爆の168.5個分にあたると報告しており，原発事故を原爆に比べて過小評価するのは大きな誤りだ。

福島の原発事故では，事故直後より大幅に減少したとはいえ，今なお放射線物質の放出が続いている。第一原発周辺地域で観測される放射線量は今も1時間あたり10μSvを超え，これは全国の他地域で観測される数値の200～300倍に相当し，原子炉建屋内は1500μSv，防護服なしではいられない。

また，原発構内には1日あたり1,000tの地下水が流入しており，その一部は建屋内に流れ込んで，原子炉を冷却するために注入した水と混ざって高濃度汚染水となって建屋の地下に貯まっている。サブドレン（地下水汲み上げ井戸）や遮水壁などの構築により，汚染水の発生は事故直後の400tより減ったものの，2017年8月の報道発表によると今も1日に約120t，ドラム缶600本分の汚染水が発生し続けている。相次ぐ想定外の事態の中で，手探り状態の努力が日々続けられているが，廃炉・事故収束への道のりはまだ遠い。

## 福島第一原発の増え続ける汚染水〈資料：東京電力〉

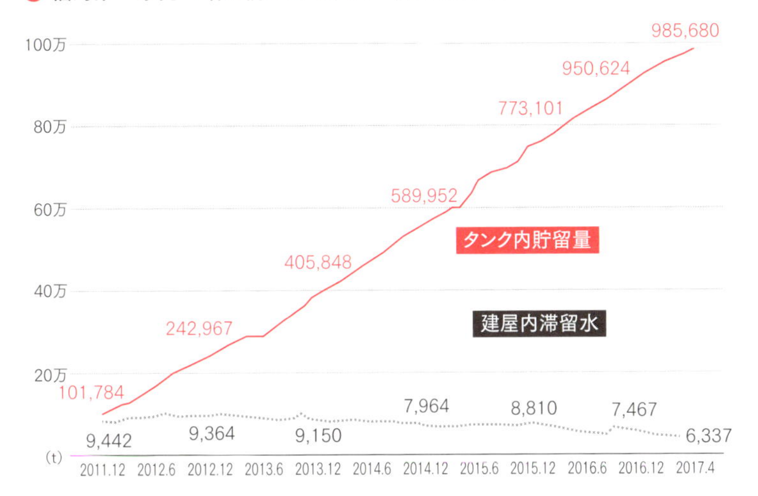


## 福島第一原発構内の汚染水貯蔵タンク群

©Google

2017年現在，タンク数は1,000基を超え，さらに毎月10基ほどが増設され続けている。

# 3 東京都千代田区の1日の昼の人口と夜の人口

**▶昼81.2万人 ▶夜5.8万人** 国勢調査

東京都心の千代田区には，皇居や東京駅があり，国会議事堂，各省庁・最高裁判所などの主要官庁，さらにメガバンクの本店や大手新聞社，商社，大企業の本社など日本の政治経済の中枢機能が集中し，“日本のヘソ”と呼ばれている。

面積は11.6km$^2$，羽田空港（14.5km$^2$）よりも狭いが，区内には約3万5000の事業所や官庁があり，昼間ここで働く人，つまり千代田区の昼間人口は佐賀県や福井県の人口に相当する81.2万人，昼と夜の人口差が全国でもっとも大きい自治体であり，昼間人口密度7.0万人も全国第1位である。一方，千代田区に住民登録をしている常住人口，つまり夜間人口は東京23区中最少の5.8万人，これをさらに町別に見ると，オフィスビルが建ち並ぶ丸の内は昼間人口10.4万人に対し，夜間人口はわずか3人，霞ヶ関は昼間人口5.8万人に対し，夜間人口は2人しかいない。

千代田区内でも比較的人口が多いのは神田から飯田橋にかけての北部地域だが，最近は西部の番町地区にタワーマンションが増え，人口が急増している。なお，千代田区は人口1万人あたりの病院数や医師数，理容店や美容院の数，交番の数が23区中最多，区民1人あたり公園面積が第1位，東京23区では唯一の保育園の待機児童がゼロ，0～18歳の医療費もゼロ，生活環境は，都内では群を抜いて充実している。ただ，住宅地の平均地価が全国一高い。

## 主要都市の昼間人口と夜間人口 〈資料：国勢調査〉

| | | 昼間人口（人） | 夜間人口（人） | 昼夜間人口比率 |
|---|---|---|---|---|
| 東京都 | 千代田区 | 812,360 | 58,406 | 1390.9 |
| | 丸の内 | 103,873 | 3 | — |
| | 大手町 | 76,920 | 4 | — |
| | 有楽町 | 29,336 | 19 | — |
| | 内幸町 | 27,785 | 4 | — |
| | 霞ヶ関 | 58,306 | 2 | — |
| 東京都 | 中央区 | 596,680 | 141,183 | 422.6 |
| 東京都 | 港区 | 876,015 | 243,283 | 360.1 |
| 大阪市 | 中央区 | 465,786 | 78,687 | 591.9 |
| 名古屋市 | 中区 | 297,039 | 78,353 | 379.1 |
| 神戸市 | 中央区 | 276,972 | 126,393 | 219.1 |
| 横浜市 | 中区 | 170,450 | 94,867 | 179.7 |

※昼間人口は，常住人口に流入人口を加え，流出人口を引いた人口
　夜間勤務や通学する人も含むが，買い物客などは含まない
※東京都各区は2015年，その他は2010年の調査
※昼夜間人口比率は昼間人口÷夜間人口×100

## 東京都心への通勤通学の流入人口（2010）

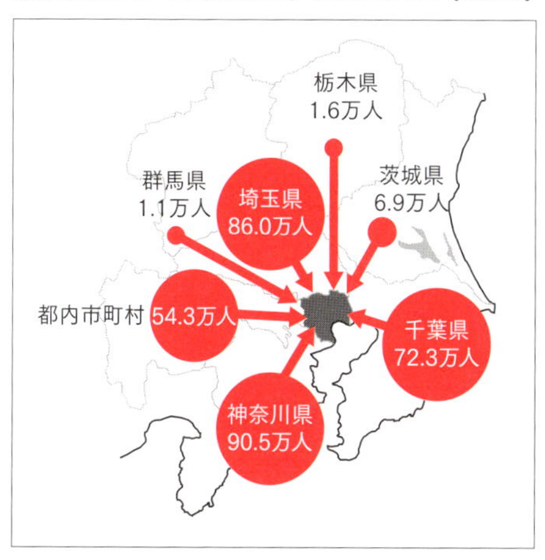

# 富士山（山梨県・静岡県）の1日あたりの登山者

## ▶約4,000人（7～8月） 環境省統計

登山人気が衰えない。2010年に“山ガール”という言葉が流行語大賞にノミネートされたが，女性に限らず，近年は男女を問わず各世代に登山を楽しむ人が増えている。完全装備で難コースに挑戦する本格的な登山家は減っているが，登山がレジャー化し，旅行会社が企画する登山ツアーが人気で，登山技術や知識がなくても誰でも気軽に登山を楽しめるようになった。

そんな中，一番の人気はもちろん富士山である。何せ「日本一高い山に登った」という達成感は富士山でしか得られない。登山シーズンである7～8月の2ヵ月間に富士登山をする人は20万～30万人，1日あたりでは約4,000人，山頂の雑踏は渋谷のスクランブル交差点とあまり変わらない。富士山にこれだけ多くの人が登るのは，富士山の魅力に加え，5合目までは車で行くことができ，山小屋の数も多く，安全に登れる環境が整っていることも大きな理由だ。アメリカやアジアなどの外国人登山者も多く，2015年，吉田口で調査をしたところ，登山者の28.4%が外国人だったという。

ただ，水道や自動車道のない山上では，トイレやごみ処理などの問題が深刻だ。登山者の過剰は，富士山の自然環境に多大な負担をかけている。環境保全や登山者の安全対策のため，2014年から入山料（協力金）を徴収しているが，世界遺産の美しい富士山を守るため，登山者を許容可能な数に制限すべきという声もある。

## 富士山の登山者数の推移 〈資料：環境省等〉

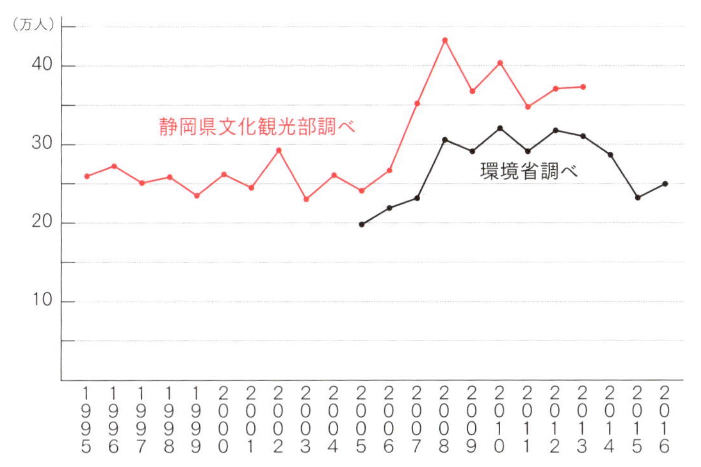


※従来は推計値であったが，環境省関東地方環境事務所では 2005 年以降，各登山道の8合目に赤外線カウンターを設置して，登山者数を計測している。

## シーズン中の日別の富士山登山者数（2016） 〈資料：環境省〉

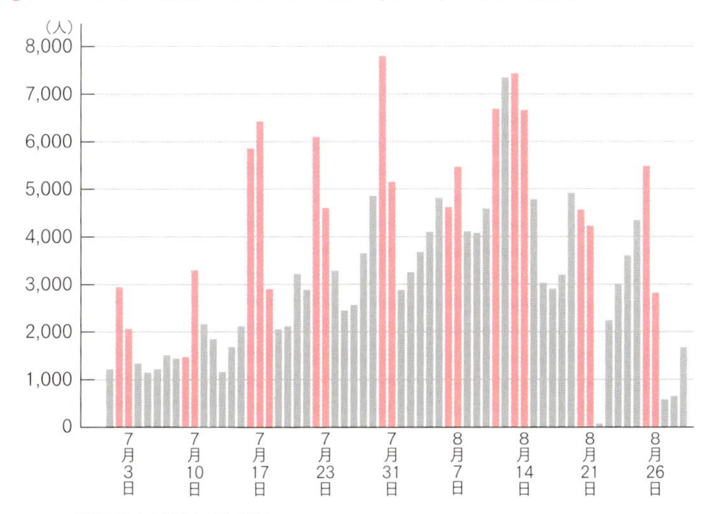


※赤で示した日は土・日・祝日
※ 8/22 に登山者がほとんどいないのは台風接近のため

# 三重県・伊勢神宮の1日あたりの参詣人

## ▶約2万3000人 伊勢市統計

式年遷宮が実施された2013年，伊勢神宮を参詣した人は1421万人と過去最高を記録した。翌年以降は減少したが，それでも2010年以降，年間の参詣人数が800万人を下回ることはない。日本人も多く訪れる世界的な寺院であるモン・サン・ミッシェル（フランス）やサグラダ・ファミリア（スペイン）の年間観光客数が約300万人，伊勢神宮を訪れる人がいかに多いかがわかる。

もっとも人数だけならば，鶴岡八幡宮や成田山新勝寺は1000万人を超えている。しかし，どちらも人口4300万の首都圏にあり，鎌倉という観光地，成田空港に隣接という地の利に恵まれ，さらに正月三が日には初詣人数が200万人以上という背景がある。

一方，伊勢神宮は最寄りの新幹線駅である名古屋からでも特急で約1時間半，初詣人数は40万人ほどだ。今，国内各地の観光地は外国人が急増しているが，伊勢神宮を訪れる外国人観光客も増えてはいるもののまだその比率は5%ほどである。それでも，季節にかかわらず，1日あたり2万3000人もの多くの人が訪れるのは，神社に参詣することが，古来より日本人にとって信仰心だけではなく，生活の一部だからである。まずは一度，少し遠くても歴史があり名高い伊勢神宮へ，さらに出雲大社へ，厳島神社へとなるのだろう。“伊勢参り”の歴史は古く，江戸時代，多い年には500万人に達したという記録もある。現代の日本人も心は同じなのだろう。

## 伊勢神宮参詣人数の推移

〈資料：伊勢市〉

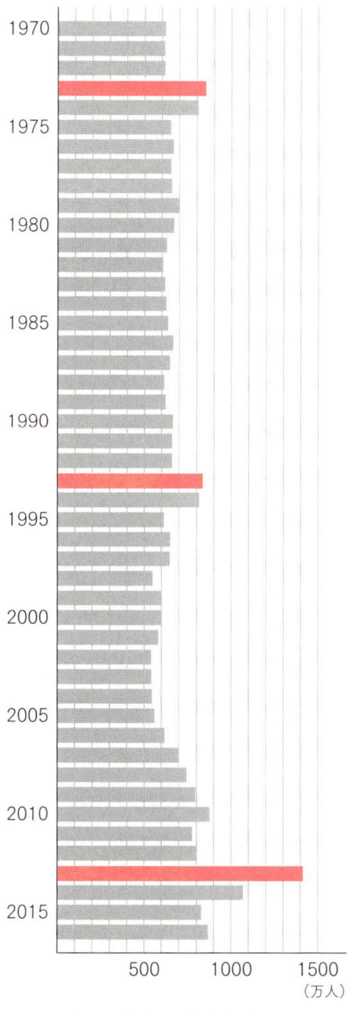


※赤は 20 年ごとの式年遷宮の年
※伊勢神宮の正式名称は"神宮"

## 各地の主要社寺の年間参詣人数

〈筆者調べ〉

|  |  |
|---|---|
| ・鶴岡八幡宮（神奈川） | 1311 万人 |
| ・成田山新勝寺（千葉） | 1106 万人 |
| ・伊勢神宮（愛知） | 838 万人 |
| ・太宰府天満宮（福岡） | 720 万人 |
| ・出雲大社（島根） | 665 万人 |
| ・厳島神社（広島） | 423 万人 |
| ・金刀比羅宮（香川） | 275 万人 |
| ・平泉中尊寺（岩手） | 200 万人 |
| ・高野山（和歌山） | 199 万人 |
| ・日光東照宮（栃木） | 186 万人 |

※調査年は金刀比羅宮が 2011 年，出雲大社と中尊寺が 2014 年，厳島神社が 2016 年，他は 2015 年
※東京や京都・奈良の社寺は除外

## 主要社寺の初詣人数（2009）

〈資料：警察庁〉

|  |  |
|---|---|
| ①明治神宮（東京） | 319 万人 |
| ②成田山新勝寺（千葉） | 298 万人 |
| ③川崎大師平間寺（神奈川） | 296 万人 |
| ④伏見稲荷大社（京都） | 277 万人 |
| ⑤鶴岡八幡宮（神奈川） | 251 万人 |
| ⑥浅草寺（東京） | 239 万人 |
| ⑦住吉大社（大阪） | 235 万人 |
| ⑦熱田神宮（愛知） | 235 万人 |
| ⑨氷川神社（埼玉） | 205 万人 |
| ⑩太宰府天満宮（福岡） | 204 万人 |

※ 2010 年以降，警察庁は発表を中止

# 京都を訪れる1日あたりの観光客

## ▶約15.6万人 京都市統計

京都を訪れる観光客が右肩上がりに増えている。2015年は過去最高の5684万人，1日あたりでは約15.6万人にのぼった。とくに，外国人観光客が増えており，2015年は316万人，わずか2年で3倍に増えている。修学旅行客数は年間約100万人でほぼ横ばい状態が続いているが，少子化の進行で年々児童生徒数が減少しつづける中，全国の小中高生の3人に1人，関東の中学校に限ると，実に88%の学校が京都を訪問先に選んでいる。

1200年の悠久の歴史を刻み，多様な文化が集積する京都には，四季それぞれの風情があり，それらが季節を問わず，多くの観光客を招き入れている。ただ，同じ京都でも，日本人と外国人では人気の場所はやや違うようだ。外国人観光客には世界遺産にも登録されている有名社寺や，祇園や錦市場など日本の文化に接することができる場所が人気で，最近は座禅体験のできる永観堂禅林寺や衣装を着替えて侍（さむらい）の体験ができる「サムライ剣舞シアター」の人気が急上昇している。日本人観光客はリピーターが多く，定番観光地の社寺より，清水三年坂や嵯峨野など散策向きの場所が人気だ。

なお，奈良市内には奈良時代に建立された多くの建築物が残るが，残念ながら京都洛中には平安時代の建築物は現存しない。

## 京都を訪れる観光客の推移

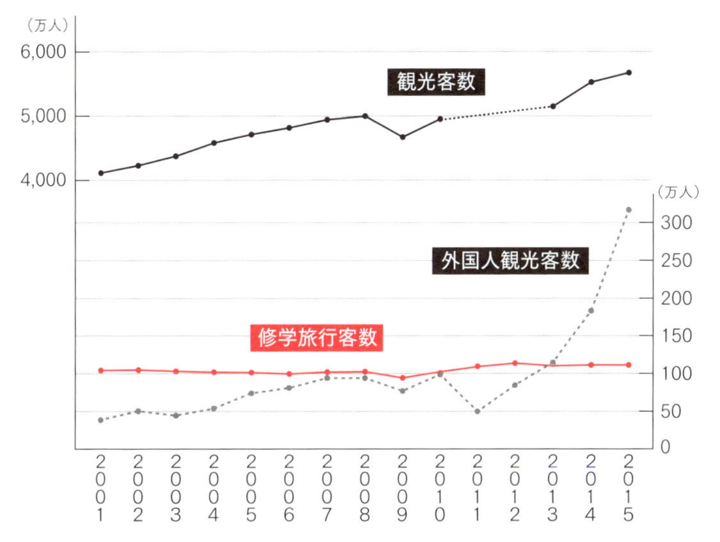


※観光客総数は日帰りと宿泊の合計，外国人と修学旅行は宿泊客数。
※2009年は新型インフルエンザの流行，2011年は東日本大震災の影響で観光客が減少。

## 日本人観光客と外国人観光客に人気の観光地

| 【日本人観光客】 | |
|---|---|
| ①清水・祇園周辺 | 51.0% |
| ②嵯峨野・嵐山周辺 | 48.8% |
| ③京都駅周辺 | 44.6% |
| ④河原町三条・四条周辺 | 29.4% |
| ⑤東山七条周辺 | 21.1% |
| ⑥銀閣寺・哲学の道周辺 | 19.2% |
| ⑦岡崎・蹴上周辺 | 18.5% |
| ⑧金閣寺・きぬかけの路周辺 | 17.6% |
| ⑨伏見周辺 | 11.3% |
| ⑩西陣・北野周辺 | 8.6% |

| 【外国人観光客】 | |
|---|---|
| ①清水寺 | 65.0% |
| ②金閣寺 | 53.7% |
| ③二条城 | 49.9% |
| ④祇園 | 49.1% |
| ⑤伏見稲荷 | 41.4% |
| ⑥京都駅周辺 | 39.4% |
| ⑦嵯峨野・嵐山 | 33.0% |
| ⑧京都御所 | 29.9% |
| ⑨銀閣寺 | 28.8% |
| ⑩錦市場 | 27.8% |

※数値は京都を訪れた観光客のうち，各場所を訪れた人の割合。

# 大阪のソウルフード“551蓬莱の豚まん”1日の販売数

## ▶約15万個 株式会社蓬莱 HP

“行列ができるグルメ”，テレビのワイドショーでよく紹介される話題だが，2016年4月，東京都内の某デパートである商品を目当てに90分待ちの長蛇の列が出現した。行列の先で売られていたのは，大阪を中心に関西では絶大な人気を誇る“551蓬莱の豚まん”である。大阪市内のターミナルのデパ地下ならば，どこでも製造販売されており，5～10分くらいの行列は日常風景の超人気商品である。この豚まんの1日の販売数は約15万個，首都圏に約160店舗を展開する崎陽軒のシウマイ弁当の1日の販売数2万3000食と比較すると人気の凄さがご理解いただけるかと思う。メーカーである551蓬莱は，豚まんの生地の品質を守り，手作りするため，関西以外には出店していないが，現地で作ることを条件に期間限定で特別に都内で販売したところ，大行列が出現したわけである。

なお，豚まんは関西以外では“肉まん”と呼ばれるが，関西ではなぜ豚まんなのだろうか。理由は関西の肉文化にある。一般に肉といえば，牛肉，豚肉，鶏肉など肉類全般を指すが，牛肉消費量が関東の1.5～3倍の関西では，肉といえば牛肉を意味し，豚肉は豚肉であって肉とは呼ばない。肉じゃがの肉は牛肉でなければならず，豚肉と玉子入りのお好み焼きは“豚玉”，牛肉入りは“肉玉”だ。豚まんは牛肉を使っていないので肉まんとは呼ばない。牛丼も大阪では，“肉丼”としてメニューに載せている店がある。

## 「551の豚まん」販売店舗の分布

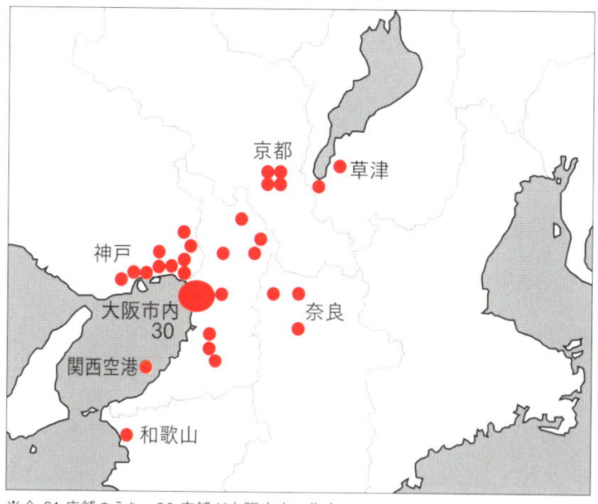


※全61店舗のうち，30店舗が大阪市内に集中している。
※“551”の由来は「551（ここがいちばん）」という語呂合わせ。

## 東西主要都市牛肉及び豚肉の消費量（2014～16平均）

〈資料：総務省家計調査〉

—1世帯（2人以上）あたりの消費量—

| 牛肉 g/年 | | | |
|---|---|---|---|
| —東— | | —西— | |
| 横浜 | 6,323 | 和歌山 | 9,649 |
| 東京 | 6,262 | 京都 | 9,469 |
| さいたま | 5,816 | 奈良 | 9,439 |
| 千葉 | 5,803 | 松山 | 9,424 |
| 宇都宮 | 4,596 | 大阪 | 9,083 |
| 札幌 | 4,445 | 広島 | 8,973 |
| 水戸 | 3,644 | 大津 | 8,882 |
| 盛岡 | 3,610 | 岡山 | 8,729 |
| 前橋 | 3,582 | 福岡 | 8,523 |
| 新潟 | 3,178 | 神戸 | 8,522 |

| 豚肉 g/年 | | | |
|---|---|---|---|
| —東— | | —西— | |
| 青森 | 23,504 | 奈良 | 19,381 |
| 札幌 | 23,122 | 和歌山 | 18,712 |
| 新潟 | 22,511 | 大津 | 17,841 |
| 横浜 | 21,823 | 神戸 | 17,568 |
| さいたま | 21,731 | 大阪 | 17,345 |
| 千葉 | 20,148 | 京都 | 17,269 |
| 東京 | 19,741 | 宮崎 | 17,244 |
| 宇都宮 | 19,485 | 津 | 17,085 |
| 水戸 | 18,910 | 高知 | 15,266 |
| 前橋 | 16,729 | 福井 | 15,256 |

豚肉消費量の東西差に比べ，牛肉消費量は西高東低の傾向が顕著である。

# 香川県民が1日に食べるうどん

## ▶男性0.85杯 ▶女性0.41杯

香川県調査

・青森県民「毎日りんごばっか食っていねぇ」
・宇都宮（栃木）市民「毎日餃子ばかり食っていねえよ」
・大阪府民「毎日たこ焼きばっかり食べとらへんわ」
・香川県民「毎日うどん食いとるんよ」

青森県民1人が1年間に食べるりんごは31.4個，全国平均の2倍以上だが，それでも1カ月に2.6個だ。日本一の餃子の街を自負する宇都宮市民が餃子を食べる頻度は，月に2～3回が平均である。しかし，香川県民が食べるうどんの量は，県が実施した調査によると男性が年間310玉，女性149玉というから男性の場合は1日あたり0.85杯（1週間に6杯），女性でも0.41杯（5日に2杯）のうどんを食べていることになる。香川県では昔から田植えを終えた後や法事の際には必ずうどんが振る舞われ，年越しもそばではなくうどん，現在でもランチはいつも200円の釜玉うどん，飲んだ後のシメもうどんというビジネスマンは決して珍しくないという。

香川県は“うどん県”を名乗るくらい，うどんは県民のソウルフードで“さぬきうどん”として全国に知られているが，広まったのは江戸時代以降だ。雨が少なく干ばつの多い讃岐地方では，裏作の小麦をいかにおいしく食べるかを工夫し，だしの素材となる良質の塩や醤油，いりこ（イワシの煮干し）の産地が近くにあったことが日本一のうどん文化を創出した。

## ● 人口10万人あたりの県別うどん・そば・ラーメン店舗数(2013)

〈資料：都道府県別統計とランキングで見る県民性〉

| 府県名 | うどん | そば | ラーメン | 府県名 | うどん | そば | ラーメン |
|---|---|---|---|---|---|---|---|
| 北海道 | 12.7 | 21.1 | 40.5 | 滋賀 | 11.4 | 10.3 | 17.7 |
| 青森 | 10.6 | 13.8 | 41.9 | 京都 | 21.5 | 19.4 | 19.6 |
| 岩手 | 12.9 | 18.4 | 30.9 | 大阪 | 15.2 | 11.4 | 13.5 |
| 宮城 | 13.5 | 17.6 | 34.8 | 兵庫 | 14.1 | 11.7 | 13.9 |
| 秋田 | 11.2 | 12.8 | 42.5 | 奈良 | 11.1 | 8.2 | 14.0 |
| 山形 | 27.0 | 51.4 | 70.9 | 和歌山 | 11.1 | 8.7 | 21.1 |
| 福島 | 14.3 | 23.5 | 40.2 | 鳥取 | 11.9 | 11.3 | 30.6 |
| 茨城 | 24.8 | 28.7 | 35.1 | 島根 | 19.8 | 23.7 | 32.4 |
| 栃木 | 34.4 | 44.0 | 51.9 | 岡山 | 18.9 | 9.2 | 27.1 |
| 群馬 | 43.2 | 42.9 | 39.0 | 広島 | 14.4 | 10.3 | 34.8 |
| 埼玉 | 21.9 | 21.4 | 19.0 | 山口 | 17.6 | 11.3 | 25.0 |
| 千葉 | 16.3 | 18.4 | 25.2 | 徳島 | 32.7 | 11.3 | 37.5 |
| 東京 | 21.8 | 24.0 | 28.7 | 香川 | 63.7 | 10.1 | 22.7 |
| 神奈川 | 13.1 | 14.6 | 18.7 | 愛媛 | 23.4 | 10.7 | 24.2 |
| 新潟 | 11.6 | 18.3 | 44.9 | 高知 | 11.7 | 4.6 | 24.1 |
| 富山 | 26.9 | 28.1 | 41.1 | 福岡 | 19.6 | 17.2 | 34.8 |
| 石川 | 30.3 | 31.3 | 38.2 | 佐賀 | 20.0 | 17.3 | 36.9 |
| 福井 | 39.5 | 45.0 | 31.5 | 長崎 | 15.4 | 10.9 | 21.0 |
| 山梨 | 36.8 | 36.0 | 36.9 | 熊本 | 12.8 | 13.1 | 36.4 |
| 長野 | 22.9 | 52.3 | 39.6 | 大分 | 20.2 | 19.7 | 30.7 |
| 岐阜 | 18.0 | 18.3 | 44.0 | 宮崎 | 25.4 | 21.7 | 37.2 |
| 静岡 | 20.4 | 23.6 | 28.9 | 鹿児島 | 17.4 | 18.1 | 42.0 |
| 愛知 | 19.0 | 16.3 | 20.3 | 沖縄 | 3.4 | 30.4 | 16.8 |
| 三重 | 19.2 | 15.3 | 19.7 | 全国 | 124.0 | 19.6 | 27.7 |

香川県のうどんの生産量(生めん・ゆでめん・乾めんの合計)は年間約6万t，もちろん日本一である。

なお，そば店舗には東高西低の傾向が見られるが，うどん店の比率には東西の差は見られない。そば店の比率が高い県はうどん店の比率も高いが，これはそばとうどんの両方をメニューにしている店が多いからだろう。

# 福岡市・博多港に1日に入港するクルーズ船

## ▶1隻(ほぼ毎日) 国土交通省統計

今,大型クルーズ船による船旅が世界的なブームとなっている。2016年，日本国内へのクルーズ船の寄港は過去最高の2,017回，とりわけ海外からのクルーズ船の増加が著しく，4年間で約4倍に増えている。寄港地は全国で123港に達するが,博多港(福岡市)が群を抜いて多い。クルーズ船の航行スケジュールは2，3年先まで決まっており,2017年は博多港に延べ361隻,3,000～5,000人もの乗客を載せた10万～20万t級の巨大なクルーズ船がほぼ毎日のように入出港した。博多港への寄港が多い要因として，プサン（韓国）から210km，シャンハイ（中国）から890kmという地の利に加え，博多港には設備の整ったクルーズセンターがあり，一度に数千人の入国者があってもスムーズに入国審査ができること，また，福岡市内やその周辺には観光地や商業施設が充実しており，限られた滞在時間内に効率的な観光ができることなどが考えられる。

乗客の多くはクルーズ人口が急増している中国からの観光客である。彼らは上陸すると，岸壁に待機していた数十台の大型バスに分乗し，福岡タワーや太宰府などの観光とショッピングがセットになったツアーに出かける。その経済効果は大きく，1寄港あたり1億円に及ぶという。ただ，クルーズ船の寄港によって地域経済の活性化を期待する都市が全国に増えているが，一度に数千人という外国人観光客に十分な対応ができていない都市もある。

## 日本の港湾へのクルーズ船の寄港回数 〈資料：国土交通省〉

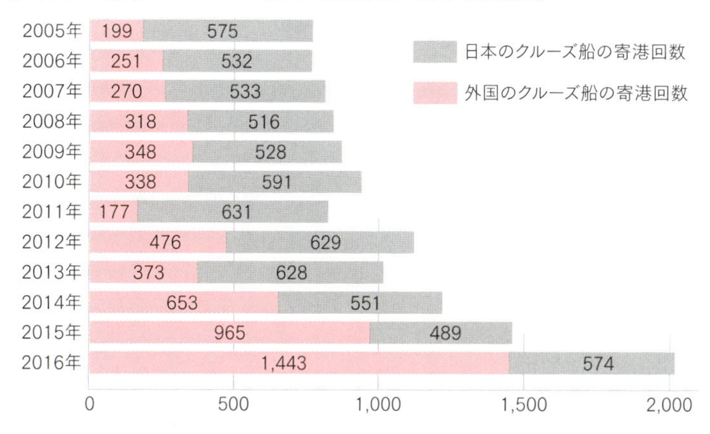


## クルーズ船のおもな寄港地と寄港回数（2016） 〈資料：国土交通省〉

# 大分県内の温泉で1日に湧出する湯量

## ▶約40万KL（東京ドーム1/3杯）環境省統計

日本は47都道府県どこにも温泉があり，環境省の統計では源泉数が全国に約2万7000，湧出量は毎分約2600万KL，1日あたりでは東京ドーム3杯分に相当する約370万KLもの湯が各地の温泉で湧出している。都道府県別に見ると，源泉数，湧出量とも全国一は大分県で，全国3,000余の温泉地の個々の源泉数と湧出量を見ても，1位と2位を大分県の別府と湯布院が占めている。

中でも別府の湧出量は，アメリカのイエローストーン国立公園に次いで世界第2位，イエローストーンは大分県よりも広いので，密集地で考えると別府温泉が実質世界一であろう。別府は温泉の歴史も古く，8世紀に編纂された『風土記』や『万葉集』にすでに温泉に関する記述があり，鎌倉時代には元寇の際に負傷した武士の療養所が設置されたという記録がある。

2013年，“うどん県”香川に続いて，大分県は“おんせん県”をキャッチフレーズとして観光PRを始めた。ただ，温泉を観光の目玉にしているのは大分県だけではなく，温泉宿泊者数を見ると，北海道（1371万人），静岡県（1159万人），長野県（792万人），群馬県（572万人）は，大分県（549万人）を上回っている。当然，大分県が“おんせん県”という名称を独占することに他県が困惑したのはいうまでもない。『おんせん県おおいた』とすることで，何とか決着したようだ。なお，日本人は年に1人平均5.5回，温泉へ行っている。

## 都道府県別温泉に関する統計（2015） 〈資料：環境省温泉利用状況〉

| 府県名 | 源泉数 | 湧出量 100L/分 | 宿泊施設数 | 府県名 | 源泉数 | 湧出量 100L/分 | 宿泊施設数 |
|---|---|---|---|---|---|---|---|
| 北海道 | 2,110 | 2,353 | 638 | 滋賀 | 86 | 101 | 43 |
| 青森 | 1,084 | 1,364 | 260 | 京都 | 136 | 182 | 170 |
| 岩手 | 431 | 1,083 | 197 | 大阪 | 173 | 351 | 42 |
| 宮城 | 750 | 337 | 229 | 兵庫 | 436 | 479 | 394 |
| 秋田 | 626 | 889 | 238 | 奈良 | 73 | 63 | 68 |
| 山形 | 422 | 493 | 342 | 和歌山 | 498 | 578 | 213 |
| 福島 | 781 | 836 | 556 | 鳥取 | 365 | 204 | 116 |
| 茨城 | 146 | 207 | 74 | 島根 | 254 | 261 | 116 |
| 栃木 | 630 | 650 | 432 | 岡山 | 223 | 232 | 88 |
| 群馬 | 454 | 549 | 594 | 広島 | 327 | 318 | 82 |
| 埼玉 | 114 | 161 | 37 | 山口 | 403 | 265 | 152 |
| 千葉 | 158 | 143 | 167 | 徳島 | 85 | 80 | 35 |
| 東京 | 162 | 289 | 41 | 香川 | 195 | 114 | 53 |
| 神奈川 | 606 | 345 | 595 | 愛媛 | 201 | 192 | 98 |
| 新潟 | 530 | 642 | 558 | 高知 | 97 | 36 | 48 |
| 富山 | 170 | 306 | 128 | 福岡 | 429 | 599 | 92 |
| 石川 | 336 | 307 | 194 | 佐賀 | 184 | 206 | 110 |
| 福井 | 158 | 79 | 141 | 長崎 | 198 | 271 | 91 |
| 山梨 | 431 | 464 | 240 | 熊本 | 1,345 | 134 | 413 |
| 長野 | 976 | 1,167 | 1,190 | 大分 | 4,342 | 2,795 | 779 |
| 岐阜 | 500 | 726 | 326 | 宮崎 | 206 | 246 | 66 |
| 静岡 | 2,263 | 1,207 | 1,878 | 鹿児島 | 2,773 | 1,563 | 385 |
| 愛知 | 133 | 182 | 87 | 沖縄 | 13 | 34 | 9 |
| 三重 | 197 | 449 | 293 | 全国 | 27,214 | 25,747 | 13,108 |

## 源泉数・湧出量の多い温泉 〈資料：別府市〉

【源泉数】

| | |
|---|---|
| ①別府（大分） | 2,217 |
| ②湯布院（大分） | 879 |
| ③伊東（静岡） | 649 |
| ④熱海（静岡） | 522 |
| ⑤指宿（鹿児島） | 452 |

【湧出量】

| | |
|---|---|
| ①別府（大分） | 83,058L/分 |
| ②湯布院（大分） | 44,486L/分 |
| ③奥飛騨温泉郷（岐阜） | 36,904L/分 |
| ④伊東（静岡） | 34,081L/分 |
| ⑤草津（群馬） | 32,300L/分 |

# 鹿児島市内に1日に降る桜島の火山灰

## ▶平均4.3g/m²　鹿児島県統計

傘には雨傘と日傘の2種類があることは世界共通だが，鹿児島にはもう1種類の傘がある。火山灰よけの灰傘である。肩までスッポリ入るドーム状のビニール傘で，コンビニでも売られている。

日本列島には，世界の活火山の7%にあたる110の火山があり，そのうち活動が特に高いランクAの火山が13，中でももっとも頻繁に噴火を繰り返しているのが鹿児島湾に浮かぶ桜島だ。活動が活発化した2009～15年には，1日平均2.1回の噴火が7年間続いた。

桜島は噴火の度に，膨大な量の火山灰を噴出し，鹿児島の人々にとって火山灰は日常生活と切り離せない。桜島対岸の鹿児島市街地の1日の降灰量は1m²あたり4.3g（2007～16年平均），小さじ1杯程度だが，これは10年間の平均であって，多い日にはたった1m²に100g以上の火山灰が降り，ドカ灰と呼ばれる。そんな日は交通への影響も大きく，火山灰専用の清掃車や散水車が出動し，道路の除灰作業を行なう。各家庭では，掃き集めた灰を市から配布される克灰袋に入れて指定の場所に出す。毎朝，天気予報で桜島上空の風向きを確認するのは鹿児島市民の日課だ。灰が飛んでくる日は洗濯物は外に干せない。外出中，白い服に火山灰を浴びると斑点ができて悲惨なことになり，コンタクトレンズを使っている人は痛くて目が開けられない。灰傘は，そんな火山灰から身体や服を守るための市民の必須グッズの1つなのだ。

## 桜島の噴火と鹿児島県内の降灰量の推移 〈資料：鹿児島県〉

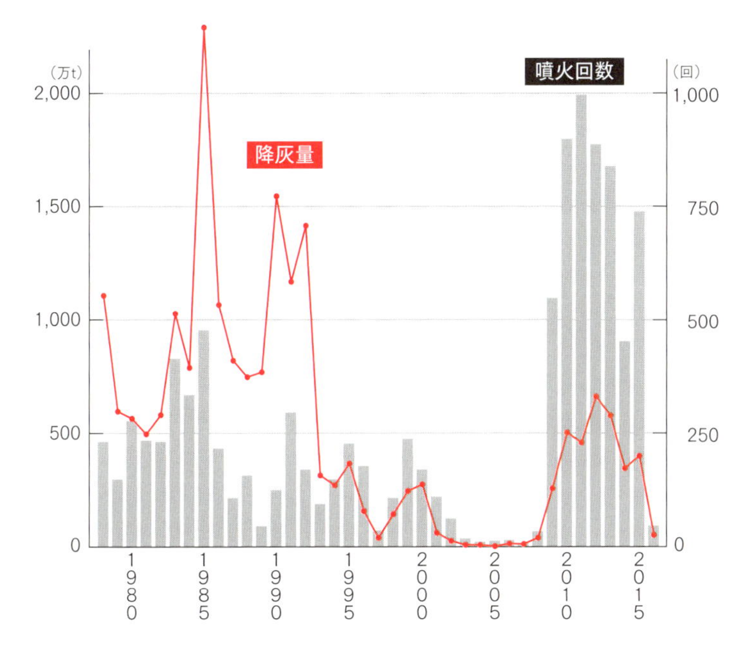


※降灰量は県内約 60ヵ所の観測データを元に試算した推計で確定の数値ではない。
※ 2011 年以降は，新燃岳の降灰量も含む。
※ 2000 年代初めまでは南岳山頂の火口が噴火を繰り返していたが，2009 年以降はそれまで活動を休止していた昭和火口がの噴火が活発になっている。

# 沖縄県・嘉手納(かでな)基地の米軍機，1日の飛行回数

## ▶最大328回 琉球新報社発表

国内で最大の空港をご存じだろうか。羽田（1,522ha），成田（1,151ha），関空（1,068ha）がトップ3だが，嘉手納飛行場はもっと広い。国内で唯一2本の4,000m級滑走路があり，その面積は1,986ha，隣接する嘉手納弾薬庫地区を合わせると6,657ha，東京ディズニーランド130個分の広さである。嘉手納は東アジア最大の米軍空軍基地であり，早朝，夜間を含めて戦闘機の離着陸は年間約7万回，2016年11月には，嘉手納町基地対策協議会の目視調査によって，1日の回数として過去最多の328回の飛行が確認された。

沖縄県内には31の米軍専用施設があり，総面積は1万8609ha，沖縄本島では約15%を占め，国内にある米軍施設面積の70.6%が国土面積の約0.6%しかない沖縄県に集中している。

米軍基地があることによって，沖縄では様々な問題が起こっている。嘉手納基地周辺の騒音発生回数は，深夜も含めて年間2万4000回を数え，墜落や不時着など航空機事故がたびたび発生している。米軍人が関係する犯罪はあとを絶たない。一方，米軍基地で働く日本人は8,600人，県内では県庁に次ぐ雇用の場であり，米軍の駐留によって，毎年2100億円以上の経済効果が沖縄県にもたらされているという。基地問題については，様々な意見があるが，何が事実なのか実態を正しく把握して，我々は真摯にこの問題に向かい合わねばならない。

## 沖縄本島のおもな米軍基地 〈資料：沖縄県〉

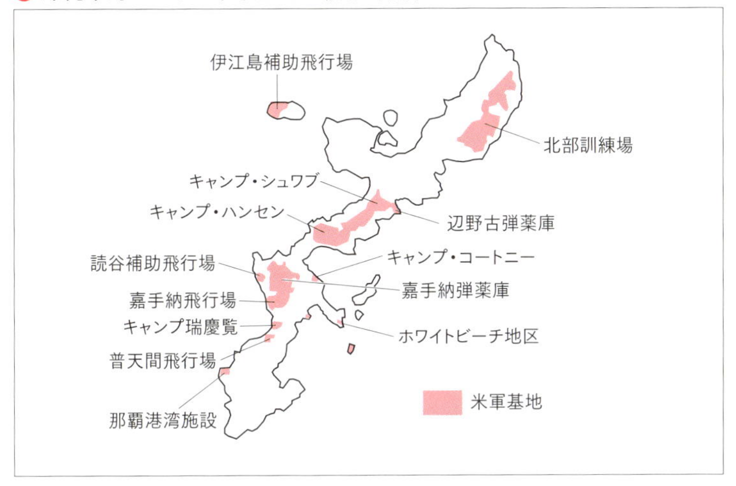


## 数字で見る沖縄の基地問題

○沖縄市に寄せられる航空機騒音苦情件数の推移 〈資料：琉球新報〉

| 2007 | 2008 | 2009 | 2010 | 2011 | 2012 | 2013 | 2014 | 2015 | 2016 |
|---|---|---|---|---|---|---|---|---|---|
| 35 件 | 27 件 | 18 件 | 40 件 | 81 件 | 72 件 | 149 件 | 115 件 | 86 件 | 143 件 |

※ 2016 年は 11/22 現在

○米軍関係の航空機関連事故 (1972 ～ 2016) 〈資料：沖縄県〉

| 墜落 | 不時着 | その他 | 計 |
|---|---|---|---|
| 47 件 | 518 件 | 144 件 | 709 件 |

○米軍構成者による犯罪検挙件数 (1972 ～ 2016) 〈資料：沖縄県〉

| 凶悪犯 | 粗暴犯 | 窃盗犯 | 知能犯 | 風俗犯 | その他 | 計 |
|---|---|---|---|---|---|---|
| 576 件 | 1,067 件 | 2,939 件 | 237 件 | 71 件 | 1,029 件 | 5,919 件 |

○沖縄の 4 大雇用主の雇用数 (2014) 〈資料：米海兵隊等〉

| 沖縄県庁 | 米軍 | 沖縄電力 | 琉球銀行 |
|---|---|---|---|
| 23,301 人 | 8,600 人 | 1,605 人 | 1,251 人 |

COLUMN 4

# 日本各地のイベント 1日に集まった人々

**青森県** **青森ねぶた祭1日あたりの来場者数43.3万人**

2016年の全国の祭来場者数ランキングの第1位は“博多祇園山笠”の300万人だが，開催期間は15日，第2位の“青森ねぶた”は6日間で260万人，青森市の人口の約9倍の人々が集まった。過去最多は1997年の380万人。

**千葉県** **幕張メッセで開催されたGLAYライブの入場者22万人**

1999年7月31日に幕張メッセで開催されたGLAY結成10周年の記念ライブは1回のコンサートの入場者数としては史上最多を記録。ツアーバスが500台，臨時シャトルバスが600本，JR臨時便が39本運行された。

**東京都・千葉県** **江戸川区花火大会来場者数139万人**

一晩で7000万円分14,000発の花火が打ち上げられる来場者数が日本一の花火大会（共催する市川市では「市川市民納涼花火大会」の名称）。

**東京都** **東京マラソン参加したランナー3.7万人**

2016年の出走者は史上最多の36,648人，大会を支えたボランティアは11,469人，沿道での声援や関連イベントの参加者は170万人。

**三重県** **鈴鹿サーキットで開催されたF1決勝観戦入場者数16.1万人**

F1日本グランプリの来場者（3日間）は2006年に過去最多の36.1万人，決勝は16.1万人を記録した。日本ダービー（東京競馬場）の1日の最多入場者数は1990年の19.7万人，高校野球（甲子園）の最多は1990年の8.3万人。

**大阪府** **大阪万博入場者数1日平均35万人最多84万人**

史上もっとも多くの人が集まったイベントは1970年の大阪万博である。183日の期間中の入場者は6422万人，これは当時の日本の人口の約3分の2に相当する。2005年の愛知万博の入場者は2205万人だった。

**兵庫県** **神戸ルミナリエ1日の最多来場者数69.1万人**

阪神・淡路大震災犠牲者の鎮魂と，神戸の復興・再生への願いを込め，約30万球のイルミネーションが神戸の街を彩る。12月の開催期間中の来場者は年間330万〜540万人，1日の最多は2004年クリスマスの69.1万人。

## ■参考文献

『国勢調査報告』総務省統計局
『農林業センサス報告書』農林水産省
『防衛白書』防衛省・自衛隊
『警察白書』警察庁
『犯罪白書』警察庁
『消防白書』消防庁
『環境白書』環境庁
『交通安全白書』内閣府
『子供若者白書』内閣府
「裁判の迅速化に係わる検証に関する報告書」最高裁判所事務総局
『国民生活基本調査』厚労省労働統計協会
『国民生活時間調査』NHK放送文化研究所
『がんの統計16』公益財団法人がん研究振興財団
『出版指標年報』全国出版協会
日本図書館協会図書館年鑑編集委員会『図書館年鑑』日本図書館協会
総務省統計局『日本統計年鑑』毎日新聞出版
『日本国勢図会』矢野恒太記念会
『世界国勢図会』矢野恒太記念会
『統計で見る日本』日本統計協会
国立天文台『理科年表』丸善出版
『沖縄から伝えたい米軍基地の話』沖縄県
堤之恭『絵でわかる日本列島の誕生』講談社
木村学・大木勇人『プレートテクトニクス入門』講談社ブルーバックス

## ■参考Webサイト

総務省　http://www.soumu.go.jp/
財務省　http://www.mof.go.jp/index.htm
法務省　http://www.moj.go.jp/
経済産業省　http://www.meti.go.jp/
農林水産省　http://www.maff.go.jp/
国土交通省　http://www.mlit.go.jp/
厚生労働省　http://www.mhlw.go.jp/
環境省　http://www.env.go.jp/
防衛省・自衛隊　http://www.mod.go.jp/
気象庁　http://www.jma.go.jp/jma/index.html
観光庁　http://www.mlit.go.jp/kankocho/

外務省　http://www.mofa.go.jp
内閣府　http://www.cao.go.jp
警察庁　https://www.npa.go.jp/
消防庁　https://www.fdma.go.jp/
資源エネルギー庁　http://www.enecho.meti.go.jp/
国税庁　https://www.nta.go.jp/
総務省統計局HP　http://www.stat.go.jp/
日本政府観光局　http://www.jnto.go.jp/jpn
国立社会保障・人口問題研究所　http://www.ipss.go.jp/
裁判所　http://www.courts.go.jp/
社会実情データ図録　http://www2.ttcn.ne.jp/honkawa/index.html
世界ランキング統計局　http://10rank.blog.fc2.com/
グローバルノート　http://www.globalnote.jp/
日本財団図書館　https://nippon.zaidan.info/index.html
全国出版協会　http://www.ajpea.or.jp/
日本著者販促センター　http://www.1book.co.jp/
都道府県市区町村　http://uub.jp/
迷惑メール相談センター　http://www.dekyo.or.jp/soudan/index.html
石油情報センター　https://oil-info.ieej.or.jp/index.html
日本臓器移植ネットワーク　https://www.jotnw.or.jp/datafile/offer/index.html
東京商工リサーチ　http://www.tsr-net.co.jp/
JR東日本　http://www.jreast.co.jp/
JR西日本　https://www.westjr.co.jp/
全国JR、私鉄各駅一日平均乗客数　http://www.geocities.jp/l00az/index.html
日本民営鉄道協会　http://www.mintetsu.or.jp/index.html
さっぽろお天気ネット　http://www.sapporotenki.jp/index.html
東京都健康安全研究センター　http://www.tokyo-eiken.go.jp/
くまモンオフィシャルホームページ　http://kumamon-official.jp/
朝日新聞デジタル　https://www.asahi.com/?iref=com_gnavi_top
産経ニュース　http://www.sankei.com
日本経済新聞　https://www.nikkei.com/
毎日新聞　https://mainichi.jp/
東洋経済ONLINE　http://toyokeizai.net/
NHK NEWS WEB　http://www3.nhk.or.jp/news/
NHK解説委員室　http://www.nhk.or.jp/kaisetsu/index.html
ウィキペディア　http://ja.wikipedia.org/wiki/
鶏鳴新聞　http://www.keimei.ne.jp/

ガベージニュース　http://www.garbagenews.net/
花粉症station　http://www.kafunst.info/kafun/index.php
J-CASTニュース　https://www.j-cast.com/2016/03/12260984.html
ロケットニュース　http://rocketnews24.com/
ITmediaニュース　http://www.itmedia.co.jp/news/
トラベルボイス　https://www.travelvoice.jp/
NAVERまとめ　https://matome.naver.jp/
時事ドットコム　https://www.jiji.com/
資源・リサイクル促進センター　http://www.cjc.or.jp/data/main.html
揺れる日本列島　http://jisin.jpn.org/index.html

## 宇田川 勝司

1950年大阪府岸和田市生まれ，現在は愛知県犬山市に在住。
関西大学文学部史学科（地理学）卒業。
中学・高校教師を経て，退職後は地理教育コンサルタントとして，東海地区のシニア大学やライフカレッジなどの講師，テレビ番組の監修，執筆活動などを行っている。
おもな著作は『クイズで楽しもう ビックリ！意外 日本地理』(草思社)，『数字が語る現代日本の「ウラ」「オモテ」』(学研教育出版)，『中学生のための特別授業　宇田川勝司先生の地理』(学研教育出版)，『なるほど日本地理』『なるほど世界地理』(ベレ出版)，『中学校地理ワーク&パズル85』(明治図書出版)，『地理の素』(ネクストパブリッシング『GIS NEXT』に連載)，『地名の雑学』『中学校すぐ使える手作りプリントページ』『おもしろ比べ関東vs関西』(いずれも明治図書出版『社会科教育』に連載)，など。
HP「日本地理おもしろゼミナール」http://www.mb.ccnw.ne.jp/chiri-zemi/

---

## 日本で1日に起きていることを調べてみた


2018年 2月25日　初版発行

| | |
|---|---|
| 著者 | 宇田川 勝司 |
| DTP・カバーデザイン | 川原田 良一（ロビンソン・ファクトリー） |
| イラスト | いげためぐみ |
| 発行者 | 内田 真介 |
| 発行・発売 | ベレ出版<br>〒162-0832　東京都新宿区岩戸町12　レベッカビル<br>TEL.03-5225-4790 Fax.03-5225-4795<br>ホームページ　http://www.beret.co.jp |
| 印刷 | モリモト印刷株式会社 |
| 製本 | 根本製本株式会社 |





ISBN978-4-86064-539-7 C0036　　編集担当　森 岳人